Après un doctorat de philosophie, Sylvie Germain entre en 1981 au ministère de la Culture à Paris, puis devient enseignante au lycée français de Prague de 1986 à 1993 avant de revenir s'installer définitivement en France. Elle est l'auteur de nombreux romans, dont *Le Livre des nuits* (1984, couronné par six prix littéraires), *Jours de colère* (Prix Femina 1989), *Tobie des Marais* (Grand Prix Jean Giono 1998), *Magnus* (Prix Goncourt des lycéens 2005) et *L'Inaperçu* (2008), ainsi que de plusieurs essais comme *Etty Hillesum* (1999) ou encore *Cracovie à vol d'oiseau* (2000). Elle a reçu en 2012 le Grand Prix de littérature de la Société des gens de lettres pour l'ensemble de son œuvre.

Paru dans Le Livre de Poche :

L'Inaperçu

SYLVIE GERMAIN

Hors champ

ROMAN

ALBIN MICHEL

© Éditions Albin Michel, 2009.
ISBN : 978-2-253-16738-9 – 1ʳᵉ publication LGF

« *À quel point sommes-nous de notre présence*
lorsque nous devenons absents ?
À quel point sommes-nous de notre absence
Lorsque nous nous savons présents ? »

Edmond JABÈS.

DIMANCHE

Il se réveille tout noué, une sensation de poids sur le plexus. Il porte les mains à sa poitrine, mais les écarte aussitôt, surpris par le contact d'un corps dur et froid. Un gros insecte, un crabe, une tortue…? Mais d'où, et comment une telle bête aurait-elle surgi? Du fond d'un placard, de dessous son lit, ou du recoin d'un mauvais rêve qu'il viendrait de faire? Puis Aurélien reprend ses esprits, il s'agit de la vieille visionneuse au boîtier en métal, contenant une série de reproductions de peintures préhistoriques, qu'il a récemment rapportée de chez sa mère pour la rafistoler.

Les locataires de l'étage du dessus ont mené grand tapage toute la nuit. Ils célébraient la rénovation de leur intérieur et pendaient « la crémaillère du vide » ainsi qu'ils le lui avaient annoncé avec un mélange de gaieté et de fierté dans l'ascenseur quelques jours auparavant – ce vide consistant à s'être débarrassés d'une partie de leurs meubles, et surtout de leur bibliothèque, remplacée par un objet magique, un e.book du format d'un livre de poche et pesant moins de deux cents grammes, capable de télécharger des milliers d'ouvrages, d'en stocker des centaines, et offrant en outre quantité d'avantages divers et insolites. La réduction de leur bibliothèque à un unique élément poids plume doté d'une mémoire d'éléphant et d'une intelligence arachnéenne méritait bien une fête, selon ces allègres videurs. Le problème est que le goût minimaliste de ses e.voisins ne s'est pas étendu à la musique qui a déferlé pendant des heures par roulis assourdissants, furieusement monotones, agrémentés de bruits discordants de voix, de rafales de rires, de piétinements. Le vide offre un bel espace de résonance. Aurélien a fini par s'expulser de chez lui, il est parti se promener dans les rues, est rentré dans le premier cinéma qu'il a croisé sans se soucier du film programmé, il s'est assoupi au bout de dix minutes et a somnolé jusqu'à la fin de la projection. Il ne se rappelle même pas le titre du film; d'après la bande-son, qu'il a vaguement perçue à fleur de son endormissement, ce devait être un mélodrame chinois. Puis il s'est attardé dans un café où il a joué une partie de billard, et n'est rentré chez lui qu'à deux heures passées. La fête n'était pas encore finie. Pour calmer son exaspération, Aurélien s'est appliqué à bricoler; une fois la visionneuse remise en état, il l'a calée sur son thorax, ayant l'impression que le boîtier amortissait un peu les « bong bong bong » de la musique venant vrombir sournoisement sous son diaphragme. Il a fini par s'endormir dans cette position de gisant aux mains serrées sur un coffret abritant quelque trésor, ou peut-être son propre cœur momifié.

Il pose avec précaution l'appareil sur sa table de chevet et allume l'applique à deux lampes en verre dépoli dont une ampoule se met à grésiller, puis s'éteint après quelques crachotements de lumière. Décidément, les choses sont de mauvais poil en ce moment, se dit-il. La veille, la tringle de sa penderie a lâché, d'un coup elle s'est cassée par le milieu, tous les cintres ont glissé et ses vêtements forment un tas au fond du placard. Puis la clenche de la porte des toilettes lui est restée dans la main, et il a repéré une grosse cloque jaunâtre au plafond de la cuisine.

La pendulette affiche dix heures dix. Ce réveil tardif, très inhabituel chez lui, le fâche, d'autant plus qu'il se sent fatigué, les muscles contractés. Pour une fois qu'il disposait de son dimanche, on lui en a gâché la veille et à présent il y entre en retard, tout froissé et maussade. Il va dans la cuisine, s'éclabousse le visage à l'eau froide puis se prépare un thé, coupe deux tranches de pain de seigle et sort du réfrigérateur un pot de fromage de chèvre frais ainsi qu'un bocal de cornichons. Il mange debout, pieds nus sur le carrelage, alternant une bouchée de pain tartiné de fromage et un cornichon croquant ou un petit oignon blanc confit dans le vinaigre. Il aime cette légère acidité qui, mieux que le café ou le thé, lui remet dès le matin les idées d'aplomb.

D'après sa mère, c'est un comportement héréditaire, son grand-père polonais ne s'asseyait jamais pour prendre son petit déjeuner qu'il agrémentait de cornichons, mais des gros, fermentés dans de l'eau salée aromatisée d'ail, de raifort et d'aneth. Cet homme était une force de la nature, racontait-elle avec admiration, doué d'un formidable appétit pour tout, pour la vie, et sa femme, elle, était la force de gravitation de cet ogre amoureux. Mais leur joyeuse énergie à tous deux, aussi vive fût-elle, ne les avait pas protégés de celle déployée par les ogres haineux qui sévissaient alors. En avril 1940, le père avait disparu, et la mère avait attendu en vain des nouvelles de son mari. Elle avait cherché, enquêté sans répit, espéré sans fin, mais elle était morte avant d'apprendre ce qui s'était passé. Son amour avait été abattu d'une balle dans la nuque, avec des milliers d'autres hommes, dans une forêt du nom de Katyn. Elle-même avait fini en prison, aux confins orientaux du pays, et avait disparu à son tour sans laisser de traces. Il n'était plus resté à leur fille, encore enfant et par conséquent placée dans un orphelinat, qu'une poignée de souvenirs passionnément celés dans sa mémoire ; quelques années plus tard, elle s'était enfuie de son pays. Elle n'y est jamais retournée, même après la chute du mur de Berlin et l'ouverture des frontières. « Retourner où ? demandait-elle, dans un village où la maison de mon enfance a été donnée à d'autres, ou démolie, et dont le cimetière n'abrite pas le corps de mes parents jetés dans des fosses communes ? Je ne connais plus personne là-bas, et personne ne me connaît. Finalement, je suis née dans une Atlantide. »

Est-ce dans une autre Atlantide, et avec un courant d'air, que plus tard elle a conçu son fils ? Aurélien ignore tout de son père biologique réduit à un portrait plus que vague mais magnifié aux dimensions d'un mythe. La rencontre entre sa mère et l'amant fulgurant aurait eu lieu à l'improviste, un soir de juin au détour d'une allée dans un jardin public, à Paris. Elle et lui se seraient arrêtés, et longuement regardés, sans un mot, comme s'ils se connaissaient depuis des temps immémoriaux et s'attendaient de toute éternité. Cet homme, surgi au seuil de l'été, avait la beauté de l'heure, disait-elle : « Entre chien et loup. » Il se tenait tel un soleil de solstice à fleur de nuit mêlant douceur et sauvagerie, patience et allégresse, intimité profonde et ardente étrangeté. Quand la voix du gardien avait annoncé l'imminente fermeture du parc, l'homme lui aurait pris la main et, en souriant, l'aurait conduite dans l'ombre d'un bosquet d'arbustes et de buissons en fleurs. Une ombre tiède et odorante qui les aurait enveloppés, et enlacés l'un à l'autre. Ils seraient restés longtemps ainsi, immobiles et silencieux, s'enivrant de la semi-obscurité où leurs corps peu à peu se fondaient l'un en l'autre, et de toutes les senteurs exhalées par l'humus, par les feuillages et par les fleurs repus de chaleur, par la brise diffusant le parfum si suave de tilleuls en pleine floraison, et plus que tout, par leur propre peau. Il émanait de cet homme une odeur à la fois amère et miellée, riche d'un arrière-goût de poivre, d'herbe humide, de géranium et de fumée de feu de tourbe. La gamme des arômes de cet homme « entre chien et loup » était vaste et contrastée, l'ancienne amoureuse en jouait avec beaucoup de fantaisie dans ses évocations, privilégiant toutefois les métaphores végétales.

Leur étreinte aurait duré un temps indéterminé, s'éployant en extase, puis se déliant lentement pour s'achever dans un délicieux assoupissement. L'histoire s'arrêtait là. Sa mère assurait ne plus se souvenir de la suite – quand et comment elle s'était réveillée puis était sortie du jardin public. La vie avait repris son cours normal, et plus jamais elle n'avait revu cet homme demeuré anonyme. Comment aurait-elle pu savoir quel était son nom, puisque ni lui ni elle n'avaient proféré un seul mot pendant leur long embrassement ?

À défaut de revoir son bel inconnu, elle l'avait retrouvé, en miniature et quelque peu différencié, dans le fils qu'elle avait mis au monde neuf mois plus tard. Un petit garçon aux cheveux noir jais, très raides, aux yeux brun mordoré, et au teint cuivré. Comme prénom, sa mère lui avait choisi celui du saint inscrit dans le calendrier le jour de sa conception, Aurélien. Quant au patronyme, elle n'avait pu que lui donner le sien, hérité du fameux grand-père friand de cornichons aigres-doux : Szczyszczaj. Un nom imprononçable hors de son pays d'origine, et qu'elle avait fini par délaisser au profit d'un autre nom moins fastidieux à épeler, en épousant un veuf, Balthazar Labas, qui avait adopté l'enfant alors âgé de cinq ans. Outre son patronyme, Balthazar lui avait donné un frère, Joël. Un drôle de frère qui, bien que son aîné d'une quinzaine d'années, se comportait et s'exprimait comme un petit enfant, ou plutôt comme un enfant hors d'âge, hors toute norme. Ils s'étaient donc très bien entendus, Joël et lui, parlant et jouant à égalité, mais le petit garçon avait rapidement distancé le grand.

À moitié renversé dans un fauteuil, les jambes ballant par-dessus les accoudoirs, il braque la visionneuse vers le plafonnier du salon pour vérifier si la réparation nocturne qu'il a effectuée est concluante. L'appareil fonctionne, bien qu'il souffre d'un léger hoquet, les images minuscules qu'il égrène soubresautent au moment d'apparaître derrière l'œilleton, puis se stabilisent.

Clic, une grande vache noire et rousse qui saute par-dessus un cortège de petits chevaux, clic, un bouquetin bistre, clic, une main blanche cernée de noir, doigts écartés, clic, un entrelacs de cerfs, de chevaux et de taureaux, clic, un animal à allure de licorne, clic, un bison hérissé de flèches, clic, une main noire sur fond rougeâtre, un doigt coupé, clic, des chevaux pommelés, clic, une silhouette d'homme-oiseau, clic, une main ouverte en éventail, rouge cernée de brun, clic... Et les images reviennent en boucle, animées de furtives trépidations, la cavalcade des bêtes splendides se fait ronde scandée par des mains d'ombre, des paumes lunaires, doigts rayonnants, parfois mutilés. Des mains de chasseurs, de dompteurs de bêtes et de ténèbres, des mains de fabricants de feu et de beauté, des mains de mages, à l'écoute tactile des vibrations et des sueurs de la roche, des mains de cueilleurs d'énergie. Comme celles de l'homme « entre chien et loup » sur le corps de sa mère, peut-être ?

C'est Balthazar, bricoleur très habile, qui lui avait confectionné cette boîte à farandole de figures rupestres. Vers l'âge de six ans, Aurélien s'était passionné pour la préhistoire et il voulait devenir soit vétérinaire, pour soigner des bisons, des mammouths, des aurochs et des rhinocéros laineux, soit archéologue, rêvant de découvrir de nouvelles grottes aux parois éclaboussées de splendeurs peintes et gravées. Puis son rêve de découvertes s'était hissé sur la terre, il serait explorateur, et il avait donné sa petite caverne préhistorique à Joël. Ensuite, son âme de découvreur s'était élancée vers le ciel, il serait astrophysicien, ou astronaute, il hésitait. Il avait fini par trancher en changeant de cap et en plongeant au fond des mers, il serait océanographe. Il s'était trouvé par la suite bien d'autres vocations, mais comme il rêvait davantage qu'il n'étudiait, ou du moins étudiait sans méthode, poussé par des bouffées d'admiration et de curiosité qui se télescopaient, il ne s'est jamais spécialisé et est resté un amateur aux intérêts multiples.

Professionnellement, il a suivi un parcours sinueux qui a débuté de bonne heure dans le milieu du théâtre où Balthazar et sa mère travaillaient, l'un comme accessoiriste, l'autre comme ouvreuse. Il a occupé divers emplois dans les coulisses et il est parfois sorti de l'ombre pour paraître sur la scène, en tant que figurant. Il s'est octroyé une année sabbatique et a entrepris un périple à travers l'Australie. À son retour, il s'est formé au métier d'éclairagiste et est revenu vers le théâtre. Là, il avait trouvé sa voie, son bonheur : organiser le déroulement des états lumineux d'un spectacle, jouer avec l'espace, la lumière et l'obscur, se glisser dans les textes, s'enrouler autour des mots, illuminer, voiler ou assombrir les phrases autant que les corps des comédiens. Il aimait le travail très pointu exigé par cet étrange matériau immatériel qu'est la lumière, tout en fluidité, souplesse et vélocité, et qui ne permet de construire que des œuvres éphémères à renouveler sans cesse, à réinventer. Mais à la suite de plusieurs différends avec tantôt un metteur en scène, tantôt un scénographe dont il ne partageait pas la conception de l'usage de la lumière qu'il jugeait faussée, asservie à leurs prétentions d'originalité à tout prix, de provocation à tous crins, il a renoncé à cet art. Il s'est reconverti dans la librairie, mais celle dans laquelle il avait été engagé a fait faillite quelques années plus tard. Après une longue période de chômage, il a fini par trouver un emploi dans une entreprise commerciale, celle-là même qui, depuis un an, a jugé nécessaire de fonctionner sept jours sur sept, soumettant ses employés à un emploi du temps plus variable qu'un ciel de mars.

Joël, lui, n'a suivi aucun parcours, il n'en a pas eu le temps, sa trajectoire a été interrompue trop tôt. Brillant, curieux de tout, il avait traversé au trot le parcours scolaire, sautant par deux fois des classes. Mais son élan a été brisé net, et définitivement ; à l'âge de dix-sept ans il a été victime d'une agression, un soir qu'il rentrait tard de chez des amis. On n'a jamais su ce qui s'était passé, jamais retrouvé les auteurs du forfait. Une attaque au hasard, certainement, menée par quelques brutes désœuvrées qui auront croisé son chemin et qui, après l'avoir roué de coups, dépouillé du blouson qu'il portait et aussi de ses chaussures, l'avaient laissé pour mort sur le trottoir. Mais ils n'avaient accompli leur crime qu'à moitié, leur proie n'avait pas perdu la vie en son entier, il lui en restait des lambeaux, juste assez pour continuer à survivre au ralenti, en extrême sourdine, à fleur de mouvement, de parole, de mémoire, d'intelligence, en marge du temps. Aurélien l'a toujours connu ainsi, en enfant atemporel au corps long et maigre échoué dans un fauteuil, au regard recru d'absence, d'attente indéfinie, et la bouche ne sachant que bégayer des paroles en fragments d'une voix curieusement infléchie.

Il jette un dernier coup d'œil dans l'appareil. Un petit cheval « chinois » à crinière et sabots noirs, à l'encolure et aux flancs couleur safran, galope en apesanteur sur un fond blanchâtre. Il ferme les yeux un moment, pour garder l'image imprimée sous ses paupières qui prennent le relais de la paroi de la grotte. Il se concentre sur ce fragile mirage, s'applique à en intensifier la luminosité, puis à lui insuffler du mouvement. Le petit cheval galope sur place, à vive allure. Il court si vite qu'il entre en rotation et finit par se pulvériser en un tourbillon de bulles jaunes. Aurélien rouvre les yeux, et écarquille les paupières pour chasser cet essaim de points brasillants.

Il s'installe devant son ordinateur. Il a achevé la mise au propre du journal que Joël avait commencé à tenir dans un cahier de brouillon quelques mois avant d'être relégué à perpétuité en état d'idiotie. Des textes sans continuité apparente, improvisés au gré des idées, des questions surtout, qui préoccupaient alors l'adolescent. Aussi brefs soient-ils, certains de ces textes ont nécessité un long travail de déchiffrage à cause de l'écriture anguleuse et filiforme de Joël, et de la mauvaise qualité du papier devenu jaunâtre et friable. Armé d'une loupe, de beaucoup de patience et de brins d'intuition, Aurélien est tout de même parvenu au bout de sa tâche. À présent il veut relire une nouvelle fois cette transcription pour s'assurer de sa justesse avant de l'imprimer. Il tient à extraire de l'oubli ces traces de ce qu'était Joël avant sa demi-mort, à rendre voix à ce très jeune homme qu'il n'a pas eu la chance de connaître. Depuis qu'il a lu ses écrits de jeunesse, entr'aperçu sa vigueur de caractère et d'esprit, pressenti la promesse qu'il portait, Aurélien éprouve une affection accrue à l'égard de son frère d'adoption, et il mesure davantage l'ampleur de la révolte et du chagrin endurés par Balthazar jusqu'à la fin de sa vie. Tant pis si ce journal n'aura pour tout lecteur que le cercle restreint de la famille et des proches, on ne meurt pas complètement tant qu'il reste au moins un vivant pour se souvenir de vous – de qui vous étiez, que vous avez existé – quand vous-même avez disparu.

Il s'étonne qu'il ait fallu tant de temps, presque un demi-siècle, avant que ce journal ne refasse surface. Balthazar l'avait jalousement conservé, et après sa mort le mince cahier était resté enfoui au milieu du fatras de dossiers, de carnets de notes et de croquis qu'il avait entassés dans une malle en osier. Loin d'opérer un tri dans ce coffre d'archivage pêle-mêle, sa mère s'était contentée de le couvrir d'un grand châle à fleurs rouges et roses ; elle ne se sentait pas prête à plonger dans les affaires du défunt, elle ressentait cela comme une indiscrétion, pire, un viol de sépulture. « Il n'y a aucune urgence, avait-elle déclaré, il faut me laisser le temps de m'habituer à l'absence de Baltha. » Vingt et un ans lui ont donc été nécessaires pour s'accoutumer à cette absence. Le rouge et le rose des fleurs ornant le châle ont beaucoup pâli, et les mites y ont semé des trous en pagaille. La veuve y a vu un signe du temps et s'est enfin décidée à permettre à Aurélien d'ouvrir le coffre pour en inspecter le contenu.

Certaines pages du journal l'intriguent, comme celles où Joël évoque son expérience de lecteur, et il lisait d'abondance, aussi bien des romans que des ouvrages scientifiques, des polars ou des poèmes. Aurélien se demande si Joël envisageait d'écrire un jour de la fiction, ou si l'activité de lecteur, qu'il pratiquait avec ardeur et éclectisme, lui aurait suffi.

« *Le lecteur, si vraiment il s'engage dans sa lecture, devient un personnage lié au roman qu'il lit puisqu'il entre à son tour dans l'histoire et refait, à sa façon, tout le parcours du texte. Mais ce personnage échappe totalement au pouvoir, à la volonté, à l'imagination de l'auteur du livre dont il n'est pas une "création", mais un invité. Un drôle d'invité, anonyme, venu on ne sait d'où, qui arrive à l'improviste et sort quand ça lui chante de l'espace du livre, sans souci de ponctualité, de la moindre convenance, qui s'y attarde ou le traverse à toute allure, riant, bâillant d'ennui, râlant, applaudissant ou se moquant, selon son humeur, sa sensibilité, ses intérêts. Les grands romans grouillent ainsi d'hôtes anonymes qui fouillent dans les coins, dérobent par-ci par-là une poignée de mots, une ou deux idées, quelques images qu'ils utilisent ensuite dans leur vie. Les romans ont, très concrètement, et puissamment, "leur mot à dire" dans la réalité, quand, de celle-ci, ils savent écouter au plus près les pulsations du cœur. Et ces pulsations émettent une fabuleuse cacophonie, il y en a des cristallines, des enjouées, des vivaces, candides et audacieuses, il y en a des confuses, envasées et clapotantes dans la fadeur, la pesanteur, il y en a des visqueuses et acides qui grondent, vocifèrent ou ricanent, il y en a de toutes sortes, de tout timbre. Un roman doit savoir les brasser, sinon le chant du monde sonne faux.*

Je suis un personnage composite, et de plus en plus arlequiné au fur et à mesure que je lis, arpente, explore de nouveaux livres (ou vois de nouveaux films), et qu'au passage je chaparde tel ou tel élément, aussi minime soit-il. Misère, qu'un roman où l'on ne trouve rien à voler. Mais aussi, folie et éreintement qu'un roman qui force sans cesse à s'arrêter pour mieux jouir d'une phrase, d'une description, d'une situation, tout en incitant à foncer à bout de souffle pour connaître la fin de l'histoire.

Je suis un personnage inconnu, inachevé, en évolution, ou plutôt en altération constante : métamorphose, anamorphose, paramorphose, tératomorphose, hagiomorphose, patamorphose… un arlequin en expansion et vibration continues, un transmutant incognito. Un simple lecteur.

Toute une vie de lectures devant moi, de rencontres de personnages d'encre et de vent pour doubler les rencontres de personnes de chair et de sang, les ourler d'une ombre dense et mouvante, les troubler à profusion. Et plus tard, dans la vieillesse, m'en défaire, ôter une à une toutes ces peaux d'encre et d'ombre, les oublier, sans les renier. Arlequin écorcé, dépiauté, lumineux de nudité, comme un vieil ermite en fin de course sur la terre, délesté de tout, comme un vieux sage déposant tout son savoir pour s'épanouir dans un état de folie douce. Mais je n'en suis

qu'au début, et pour l'heure, j'ai une faim de loup,
pour tout. »

Il avait écrit cela trois semaines avant son agression. D'Arlequin bariolé, il s'était effondré sans
transition en Pierrot blême, hagard, l'expansion
s'était retournée en contraction et stagnation.

Aurélien ressent une fringale, il est déjà presque
trois heures ; il met son ordinateur en veille et va se
préparer à manger. À peine vient-il de porter à sa
bouche une fourchetée de raviolis que le téléphone
sonne. De surprise et de hâte, il avale tout rond les
raviolis fumants et se brûle la langue. Il a une boule
de feu dans l'œsophage. « Allô ! Allô ! » gémit-il
en toussant. C'est une erreur, une voix enfantine
demande Magali. Il est aussi déçu que la gamine ;
lui, il espérait que l'appel venait de Clotilde. Du
coup, il compose son numéro, bien qu'il sache
qu'elle ne pourra pas répondre, elle est partie pour
son travail à l'étranger et à cette heure elle doit se
trouver en avion quelque part au-dessus de l'océan
Atlantique. Il veut lui laisser un message, mais la
brûlure sur sa langue l'empêche de parler correctement et il n'émet que des sons ridicules. Plutôt
se taire que de ahaner « H'eu n'aime ! ». L'incident
lui a coupé l'appétit, il se contente de manger un
yaourt nature à petites cuillerées, et il renonce au
verre de brouilly qu'il s'était servi. Il se console
en pensant qu'il va retrouver Clotilde mardi soir.
En attendant, il retourne à son ordinateur qu'il

redémarre. Il appuie sur la touche « Aperçu avant impression », vérifie la mise en pages, puis clique sur « Imprimer ». Quelques feuilles glissent dans un bruit de soufflerie, puis le processus s'arrête et une petite fenêtre s'ouvre sur son écran pour l'avertir qu'il n'y a plus d'encre. Les trois feuilles expulsées sur le plateau de l'imprimante sont en effet illisibles, la première présente un gribouillis grisâtre, la deuxième est encore plus décolorée, la troisième d'un blanc sale. Il cherche une nouvelle cartouche d'encre dans les tiroirs de son bureau mais n'en trouve pas, il n'a plus de réserve. Il doit se résigner à reporter à demain soir ce qu'il avait pourtant à cœur de mener à terme aujourd'hui.

Avant de fermer l'ordinateur, il jette un coup d'œil sur sa messagerie. Aucun nouveau message dans sa boîte de réception. Il en écrit un destiné à Clotilde, pour lui confirmer sa venue mardi en fin de journée, et il épice cette confirmation super-fétatoire de quelques phrases dont l'humour n'est que le masque de son impatience amoureuse. Tout à sa pensée délicieusement éprise d'elle, Aurélien n'accorde pas d'attention au bruit singulier qui vient de se déclencher. Un martèlement précipité, nerveux, comme celui d'un pic noir en temps de pariade tambourinant à coups de bec sur un tronc d'arbre pour y percer une cavité où s'aménager un nid. Les heurts se font trépidants, Aurélien commence à s'en inquiéter. Trop tard, après une dernière rafale de battements, le bruit cesse tout à trac, et avec lui la lumière reflue de l'écran.

Le disque dur vient de flancher. Cette fois, il ne s'agit plus de patienter jusqu'au lendemain pour réalimenter la machine, mais de faire son deuil de tout le travail accompli, de toutes les données enregistrées. Aurélien reste ahuri devant l'écran noir, les bras ballants ; il sait qu'il a négligé de doter son ordinateur de systèmes de sauvegarde. Il est un très piètre e.hominien.

Il laisse en plan son ordinateur naufragé, ramasse une veste au fond de sa penderie déglinguée, et sort faire un tour. Marcher au grand air a toujours été son meilleur remède aux maux qui parfois s'emparent de lui – coup de fatigue, énervement, ennui, hâte contrariée, angoisse, déception, découragement, tristesse.

Il a marché longtemps, il finit par entrer dans un square et s'assied sur un banc face à un petit manège. Des animaux ridicules, de couleurs criardes, des caricatures de voitures de course et même deux chars d'assaut miniatures pourvus l'un d'une mitrailleuse, l'autre d'un canon, remplacent les chevaux blancs et dorés des anciens carrousels, et la musique diffusée est au diapason de cette laideur agressive. Une fillette en anorak mauve brodé d'étoiles argentées pousse des cris suraigus derrière la mitrailleuse qu'elle agite en tout sens. Ce sont des cris d'excitation, de joie, qui montent d'un cran chaque fois qu'elle passe devant sa mère. « Pan pan boum ! Je t'ai tuée, maman ! » Sa victime, très souriante, agite la main avec grâce à chacune de ses mises à mort comme s'il s'agissait d'un hommage rendu à sa personne.

Aurélien quitte le square et reprend sa balade. « Pan pan boum, répète-t-il en haussant les épaules, c'est ce qu'a fait mon disque dur, finalement, sauf que lui, c'était pas "pour de rire". » Mais déjà il minimise la gravité de la mésaventure ; il est tenace, il recommencera sa transcription, en son entier, et cette fois il se bardera de protections.

Un vent froid et humide se lève, Aurélien presse le pas, il se murmure la liste des « morphoses » égrenée par Joël : « métamorphose, anamorphose, paramorphose, tératomorphose, hagiomorphose, patamorphose... » Et il ajoute : « On y arrivera, vieux frère, on y arrivera. » Mais où, à quoi exactement, sont-ils censés arriver tous les deux, il ne sait pas trop.

Il s'arrête dans un bistrot, prend une bière et deux œufs durs au comptoir, le dos tourné à l'écran géant où passent des vidéoclips privés de son. De temps à autre il jette un coup d'œil en biais vers la télévision. Une danse hip-hop retient son attention, trois garçons rivalisant d'adresse et d'inventivité exécutent de fabuleuses figures acrobatiques. Ils sautent, genoux écartés, se renversent en plein vol, se jettent contre le sol, tourbillonnent sur une main ainsi que des toupies lancées à toute allure, se cambrent, pieds frétillants en l'air, se rétablissent d'un coup de reins, enchaînent des entrechats précipités. Ils se désarticulent avec une violence enjouée, une sensualité provocante et ludique qui réjouissent Aurélien.

Un ricanement le tire de sa contemplation ; un homme, assis à une table non loin de lui, rigole en tapant du plat de la main sur une revue. « Voyez-moi ça ! La bonne blague ! » s'exclame-t-il, et il brandit le magazine pour bien en exhiber la couverture présentant le portrait d'une star masculine du moment. Sous la photo, imprimé en larges caractères, est écrit un propos-choc de la star déclarant « L'amour m'a sauvé de l'alcool ». « Ben moi, commente le type, c'est le contraire, ouais ouais, c'est l'alcool qui m'a sauvé de l'amour. L'amour, c'est du pipeau, de l'attrape-couillon, une vraie cochonnerie, ça, c'est moi qui vous le dis, vrai de vrai ! Avec le pinard, au moins, on sait à quoi s'en tenir, ça ment pas. » Geste à l'appui, il siffle son verre, le repose avec emphase, et il chantonne, à voix rauque et moqueuse : « L'amour est descendu aux Enfers… et il n'a jamais retrouvé la sortie, tsoin-tsoin… » Il n'est guère convaincant, pas même amusant, tant son rire sonne le creux. Il promène un regard à la fois fier et vitreux autour de lui, il aimerait rallier quelques compères à sa théorie de quatre sous, mais personne ne s'intéresse à lui, à part le serveur qui le surveille du coin de l'œil, évaluant son degré d'ébriété et le moment où il faudra le flanquer dehors. Et puis, tous les regards se braquent soudain vers la télévision dont le son est rétabli, un match de foot va commencer. Le miraculé de l'amour grâce aux vertus du vin cesse de déblatérer pour profiter lui aussi du spectacle. Aurélien s'en va, les joutes de hip-hop lui plaisaient davantage.

Le vent souffle toujours, et en prime il crachine à présent. L'asphalte luit, d'un noir violacé ;

comme une immense anguille, pense Aurélien qui du coup imagine le trottoir se mettre à ondoyer. Ce serait beau, une ville en train de se distordre au ralenti, façades ondulantes et rues se liquéfiant. Un peu plus loin, parvenu à une place, il lui vient une autre image, celle d'un dos de baleine. Ce serait grandiose de voir émerger du sol un mammifère marin, et qu'il bondisse et puis replonge, éclaboussant la ville de bleu foncé, et de jade et d'ardoise et d'acier, et aussi de son chant étrangement sourd et aigu. Il tend l'oreille – il a perçu une stridence, et qui enfle. Ce n'est qu'une voiture de police qui passe en trombe. Et là, ce qui bouge dans le renfoncement d'une entrée de magasin à louer, ce n'est ni un marsouin échoué ni un sac-poubelle agité par le vent, juste un homme engoncé dans un sac de couchage et qui cherche en vain une position supportable.

Le soir tombe par à-coups de plus en plus rapides. « Déjà ! » s'étonne Aurélien, mais presque aussitôt il rectifie : « Enfin !... » Ce dimanche n'aura tenu aucune des promesses dont il l'avait trop hâtivement chargé.

LUNDI

Avant, lorsqu'il se réveillait en pleine nuit et que le sommeil tardait à revenir, il se munissait de jumelles pour observer le ciel depuis la fenêtre de sa chambre. Aussi malingres soient les étoiles au-dessus de la ville, elles demeurent toujours troublantes à regarder, malgré tout, elles aiguisent l'imagination, déploient le sens de l'espace, du lointain, affolent celui du temps. Quant à la lune, elle offre une bonne distraction pendant les heures d'insomnie, il y a chaque fois de nouveaux détails à remarquer, une tache ici, un relief là, une nuance dans sa coloration. Lorsqu'il retournait se coucher après un long face-à-face avec la lune, Aurélien avait les yeux brouillés de lueurs laiteuses, et l'esprit apaisé. Mais c'en est fini de cette rêverie astrale depuis qu'on a construit un immeuble massif, haut d'une douzaine d'étages, juste devant chez lui. Il a remisé ses jumelles, qui ne lui serviraient plus qu'à lorgner chez les habitants d'en face, ce qui incite moins à bayer à l'infini de l'espace et du temps que la contemplation du ciel nocturne.

Non content d'obstruer l'espace, d'enlaidir la vue, ce mastodonte de béton au toit en plate-forme s'est couronné d'énormes enseignes lumineuses qui décolorent le ciel en gris blême. Dorénavant toutes les nuits se ressemblent, à la fois fades et agressives, traversées de remous bleuâtres, verts ou mauves fluorescents où des marques de cosmétiques, d'automobiles et de yaourts, des banques et des compagnies aériennes clament à la ronde leur excellence. Et il y a le bruit de la circulation, devenu incessant. Lui qui ne fermait jamais ses volets et n'avait pas de rideaux à ses fenêtres a dû se résoudre à recourir aux deux. Cet enfermement forcé rend son sommeil inquiet, ses nuits maussades.

Toutes les nuits se ressemblent, et il en va de même avec les jours de la semaine, tous devenus ouvrés, indifférenciés. Les semaines n'ont plus ni commencement ni fin, et chacun suit comme il peut le rythme qui lui est imparti. Aurélien a l'impression d'être en déséquilibre continuel tant dans sa relation à l'espace que dans celle au temps. Du coup, rien ne va plus entre le sommeil et lui, un épuisant jeu de cache-cache et de rendez-vous ratés s'est mis en place.

Il se lève et va boire un verre d'eau. La pendule de la cuisine indique cinq heures quarante-sept. « Inutile de me recoucher, se dit-il, la nuit est foutue. »

Une serviette nouée autour des reins, les cheveux encore tout mouillés, il accomplit son rituel de petit déjeuner dopé au cornichon en suivant les actualités à la radio. « Le chant du monde » auquel Joël était si attentif en écoutant la rumeur des jours autant que sa résonance dans les romans et dans les films, est un perpétuel charivari qui brasse impétueusement des vociférations, des enrouements, des plaintes et des graillements, des pleurs, des rigolades et des tollés ; les voix s'entremêlent, se coupent les unes les autres aussi bien que les unes contre les autres, elles s'entrechoquent ou se superposent, s'attisent ou s'étouffent mutuellement. C'est un grondement puissant, pulsant. Il y a des matins où cette ritournelle de la fureur et des calamités harasse Aurélien qui la reçoit en bloc, tel un coup de poing, d'autres où il la perçoit plus en profondeur et en fragments, y décelant un relief sonore, des réfractions. Aujourd'hui il éprouve une impression contradictoire, la chronique de l'ordinaire folie du monde lui fait l'effet d'une volée de claques s'abattant sur lui massivement, et cependant chaque coup a son timbre, son rythme et son volume propres. Comme si son corps venait de prendre une qualité acoustique singulière.

Il fait très beau dehors. Ce temps radieux lui requinque l'humeur. Puisqu'il est en avance, il décide d'effectuer à pied une partie du trajet jusqu'à son bureau, la foule n'ayant pas encore envahi les rues en cette heure matinale, ce sera une vraie promenade. Cela ne lui évite cependant pas d'être bousculé par le premier quidam qu'il croise. « Excusez-moi, dit celui-ci, je ne vous avais pas vu. » Aurélien ne répond rien, mais pense que ce type aurait bien besoin d'aller consulter un ophtalmologue, parce qu'il faut être sacrément myope pour ne pas repérer quelqu'un qui marche sans se presser au milieu d'un trottoir vide. Il se frotte l'épaule et poursuit son chemin. Cinq minutes plus tard, c'est au tour d'un couple de le heurter ; ils bredouillent une excuse en le regardant d'un air ahuri. Aurélien entend la femme dire à son mari, alors qu'ils s'éloignent : « D'où est-il sorti, celui-là ? Je ne l'avais pas vu arriver. — Oui, confirme le mari, il a surgi comme un diable hors de sa boîte. » Encore deux à envoyer d'urgence en consultation, ronchonne-t-il. Du coup, il devient prudent, il rase presque les murs. Des murs en verre, car les boutiques, la plupart de vêtements ou de chaussures, sont au touche à touche dans l'avenue qu'il a empruntée. Il a bientôt l'impression de longer la vitrine morcelée d'un unique et interminable magasin tant les devantures se ressemblent – mêmes mannequins aux figures lisses affichant un air boudeur, blasé, aux corps étiques et asexués plantés dans des positions déhanchées, et vêtus des mêmes tenues, mêmes couleurs, mêmes accessoires, globalement de même camelote et aux mêmes prix. La mode semble être à l'acide en ce début de printemps, les tons dominants sont le vert pomme, le jaune citron, le rose bonbon. Parvenu au bout de l'avenue, Aurélien en éprouve déjà une indigestion.

Vlan, une nouvelle collision, avec un adolescent, cette fois. Aurélien met cela sur le compte de la distraction et de la désinvolture propres à cet âge. Mais l'incident se répète quelques pas plus loin, avec une femme d'une trentaine d'années qui avançait pourtant tête bien droite, le regard vif. Comme les précédents, elle sursaute d'étonnement et s'écrie : « Ah ! D'où sortez-vous ? Je ne vous avais pas remarqué... » Lui, si, car elle a de fort jolies jambes et une démarche un peu féline. Il se sent davantage vexé qu'agacé par la réflexion de cette femme qui le fixe avec des yeux ronds, comme s'il était un zombie ; il est largement aussi bel homme qu'elle est belle femme, et il n'est pas rare que l'on se retourne sur lui dans la rue ou qu'on le considère avec une certaine attention, sinon admiration. Mais ce matin, les gens sont étourdis. C'est peut-être l'approche du printemps qui leur toque légèrement la cervelle.

Puisque c'est ainsi, il écourte sa balade et se dirige vers le prochain arrêt du bus que d'habitude il prend au coin de sa rue. Après dix minutes d'attente, l'autobus arrive ; il passe sans ralentir, malgré les grands moulinets que fait Aurélien avec ses bras. « Qu'est-ce qu'ils ont tous aujourd'hui ces abrutis ? » peste-t-il à voix haute sous son abribus désert. Il n'a plus qu'à filer au petit trot vers la première bouche de métro, où là, au moins, les trains en service s'arrêtent à chaque station, qu'il y ait zéro personne ou affluence sur le quai.

Une rame s'arrête, ouvre grandes ses portes ; hospitalier, lui, pas comme ce foutu bus – normal, ironise Aurélien en s'installant sur une banquette, c'est un train sans conducteur, entièrement automatisé, donc non sujet aux caprices et aux aberrations des humains. Puis il se ravise, des incidents techniques adviennent parfois sur ces lignes, les conducteurs fantômes ont aussi leurs foucades. « Aïe ! » Son voisin vient de se lever et de lui écraser un pied.

« Excusez-moi… », bafouille le fautif à l'évidence très confus et qui, s'il a la délicatesse de ne pas ajouter « je ne vous avais pas vu », ne le laisse pas moins deviner à son expression de surprise. Il se hâte de gagner la sortie. Bêtement, Aurélien se penche vers ses pieds, comme si eux seuls étaient concernés. Une de ses chaussures porte la trace de la semelle du piétineur. Il l'essuie avec son mouchoir, mais la douleur à ses orteils perdure un petit moment. Quand il aperçoit une grosse dame flanquée d'un gamin se diriger vers la banquette où il est assis, il se redresse d'un bond et se retire au fond du wagon.

Il jette un coup d'œil distrait sur le journal qu'un passager, debout non loin de lui, est en train de lire. Un titre d'article retient son attention : « Existe-t-il un corps naturel ? » Cette question l'intrigue ; à quoi oppose-t-on un corps naturel : à un corps dénaturé, ou artificiel, ou encore surnaturel ? Il se rapproche du lecteur, se penche et essaie de lire par-dessus son épaule. Il ne parvient à saisir qu'une portion de phrase : « ... le progrès des performances du corps humain devient illimité grâce à la convergence de l'informatique, des sciences cognitives, des biotechnologies et des nanotechnologies. Ces dernières, tout particulièrement... », mais le passager, secoué soudain par un violent éternuement, replie son journal à la va-vite et le coince sous un bras, pour extirper un mouchoir de sa poche. Le pauvre bougre est encore doté d'un corps très naturel, tout grouillant de microbes, se dit Aurélien en s'en écartant discrètement. Il avise alors une jeune fille vêtue aux couleurs à la mode. Elle est si moulée dans son pantalon granny-smith et son tee-shirt citron qu'on les croirait peints directement sur sa peau. Ses cheveux teints en noir jais et ses bottines en cuir noir verni ajoutent une touche sobre qui exalte le vert et le jaune crus.

Naturel ou pas, son corps est ravissant. Elle vient se planter à côté de lui, sort un livre de son sac et se plonge aussitôt dans sa lecture. Il recommence sa manœuvre de liseur subreptice, curieux de savoir ce que lit cette fille couleur d'agrumes. Il voit une page étroite et longue, presque vide, et tout en bas, trois vers écrits dans une très belle calligraphie.

« Petit escargot / grimpe doucement surtout / c'est le mont Fuji ! »

Et sur la page d'en face :

« Un homme tout seul / et seule aussi une mouche / dans la grande salle. »

Il se tient tout près de la fille, jusqu'à la frôler, mais elle ne semble pas s'apercevoir de sa présence. Elle tourne la page, ses ongles sont laqués de rouge foncé. Blanc du papier, noir de l'encre, rouge des ongles – il admire ce rapide haïku visuel. Les derniers vers qu'il glane le font sourire.

« Parfaitement droit / le trou creusé en pissant / la neige à ma porte. » Il interrompt sa lecture clandestine, il est arrivé à destination. La fille acidulée feuilletant un recueil de poèmes d'Issa lui a remis l'humeur en gaieté après les désagréments dus à tous ces imbéciles de piétons bousculeurs.

Il a le plaisir de voir Gladys dans le hall de l'immeuble où il travaille. Depuis un mois qu'elle est embauchée comme hôtesse d'accueil, elle alimente les conversations dans les ascenseurs ou pendant les pauses-café. Les avis sont partagés à son sujet : est-elle jolie ou non ? Telle est l'insoluble question qu'elle pose. « Mais enfin, elle a des yeux de vache, s'écrient ses détracteurs, et un cou d'autruche ! Et puis elle sourit tout le temps, elle a l'air con ! » Il y a des gens que la moindre singularité indispose, ils veulent du bien normé, du sans défaut, d'autres qui suspectent un fond de niaiserie dans une bonne humeur régulière. « Les vaches ont de très beaux yeux, objectent ses défenseurs, quant à son cou, il est gracile, et son sourire délicieux. » Aurélien fait partie de ses admirateurs, il se réjouit lorsqu'il la voit derrière le comptoir de marbre gris foncé installé dans le hall. Il aime la façon qu'elle a de saluer en inclinant légèrement la tête vers une épaule, et de prolonger son « bonjour ! » d'un sourire empreint de retenue et de grâce qui lui évoque celui des jeunes modèles de Léonard de Vinci. Un sourire un peu flottant, comme une brume rose et dorée qui s'évapore des lèvres à peine décloses et poudroie sur toute la surface du visage.

Ce matin, donc, elle est là, les cheveux relevés en chignon, la nuque, les tempes et le front nimbés de frisettes bouffantes. Elle semble bien distraite, car elle reste le regard vaguant alors qu'il passe devant elle. Il s'approche du comptoir et s'y accoude avec ostentation pour la détourner de sa rêverie. Elle a un sursaut d'étonnement de le voir soudain planté là, mais aussitôt elle retrouve son amabilité et ils bavardent un instant. Il lui raconte d'un ton badin ses menus déboires dans la rue et dans le métro, et lui cite l'un des haïkus qu'il a lus par-dessus l'épaule de la passagère : « Petit escargot / grimpe doucement surtout / c'est le mont Fuji ! » « C'est très à propos ! s'exclame Gladys en riant, les deux ascenseurs sont en panne, vous allez devoir monter à pied… Votre bureau est au troisième, je crois ? — Au sixième », rectifie Aurélien qui perd d'un coup l'envie de plaisanter.

Il arrive essoufflé et ronchonnant à son étage, et file aux toilettes. « Parfaitement rond, le zéro dessiné en pissant, dans la cuvette », conclut-il en refermant sa braguette. Il s'installe à son bureau, dans l'indifférence générale; chacun est affairé devant son ordinateur, les yeux rivés à son écran. Certains ont une oreille appareillée d'un écouteur et la bouche d'un micro, leurs lèvres remuent en dévidant un ronronnement aussi monotone que le concert de tapotis qui s'élève de la salle. Aurélien se joint bientôt à ce concert, son ordinateur de travail est en pleine forme, pas comme celui de ses loisirs. De temps en temps l'un des pianoteurs décolle le nez de sa machine, se renverse en arrière, s'étire, se contorsionne un peu sur son siège pivotant, se frotte les paupières, bâille, se gratte la tête, le menton, ou un coude, un genou, sirote un verre d'eau, puis replonge dans le lac étincelant de son écran.

En voilà trois qui se lèvent, Thibaut, Anaïs et Maxence ; ils se font mutuellement signe en pointant leur montre et ils se dirigent vers la machine à café. C'est l'heure de la pause qu'ils ont coutume de prendre ensemble après deux heures de boulot. Aurélien fait partie de ce groupuscule de collègues, comme il s'en forme dans toute entreprise, selon les sympathies, et il s'étonne qu'ils ne se soient pas tournés aussi dans sa direction. Il met vite sa bécane en veille et s'empresse d'aller les rejoindre. « Salut ! leur lance-t-il. — Tiens, tu es là, toi ? Je te croyais en vacances. — J'avais congé ce week-end, et j'aurai aussi mercredi et jeudi libres, mais à partir de vendredi ma semaine de travail sera longue. Ces emplois du temps sont mal fichus. Quant à ce dimanche, il a été gâché par... — Par le fait de ne pas voir ta Madone des autruches ? plaisante Thibaut. Car elle, elle était là, fidèle au poste. — Pour une Madone, bosser un dimanche, c'est pas sérieux ! ajoute Anaïs. — Laissez donc cette fille, dit Aurélien, elle est charmante... — Il a raison, intervient Maxence, cette petite est très mignonne, je la trouve même fort baisable. — Oh, toi, tu baiserais avec n'importe qui, n'importe quoi…, tiens, pourquoi pas avec la photocopieuse ? — Bonne idée ! ça multiplierait mes conquêtes ! — Quoi qu'il en soit, remarque Anaïs avec une moue, vous avez tous les deux une foutue conception de la séduction ! » Une fois encore Gladys a servi de détonateur, ils se chamaillent autour de sa personne, puis la conversation dévie, part en tous sens, et s'interrompt. Chacun retourne à son poste. Deux heures plus tard, les trois s'alertent à nouveau et se regroupent pour aller déjeuner. « Attendez-moi ! » leur crie Aurélien.

Ils vont à la brasserie « La Marquise ». Maxence et Anaïs font une halte à l'entrée pour fumer une cigarette, les deux autres entrent pour s'assurer d'une table. Assis face à Aurélien, Thibaut le regarde et lui demande en fronçant les sourcils : « Tu es fatigué en ce moment ? — Assez, oui, je dors mal. De plus en plus mal… — C'est peut-être ça, tu sembles tout chiffonné, comme si tu étais flou. — Flou, moi ! Comment ça, flou ? — Oui, enfin, heu, je ne sais pas quel mot convient… — Tu veux dire : flou comme une photo ratée ? — Il y a des flous artistiques, rassure-toi », s'empresse de préciser Thibaut. Aurélien se relève pour s'observer dans la grande glace murale, il penche la tête à droite, à gauche, se pince une joue, puis l'autre, il hausse les épaules et se rassied. « Je ne me vois pas flou du tout ! — Bon, n'en parlons plus, consultons plutôt le menu. Chouette, ils ont de l'osso buco, j'adore ça. Et toi ? » Mais sans attendre la réponse d'Aurélien, il se tourne vers les deux autres qui viennent d'arriver et leur signale avec une gourmandise communicative l'excellent choix du cuisinier pour ce lundi midi. « Très bien », acquiescent les retardataires en prenant place. Quand le serveur vient prendre la commande, Thibaut annonce : « Trois plats du jour, et une salade mélangée pour tout le monde. Un pichet de rouge maison, et une carafe d'eau. — Hé, et moi ? Vous ne m'avez pas compté... », s'exclame Aurélien qui, par ailleurs, n'aime pas l'osso buco. Mais le serveur s'éloigne déjà et il est obligé de le poursuivre. Il commande une omelette aux fines herbes et des pommes sautées. Quand il se rassied, une discussion est déjà lancée. Anaïs et Thibaut, en réaction à un documentaire qu'ils ont vu la veille à la télévision, rivalisent d'indignation à l'égard des chasseurs du Grand Nord qui massacrent des bébés phoques en grand nombre, ensanglantant la banquise, et de pitié pour leurs victimes au pelage blanc et aux si beaux yeux noirs. Maxence comprend leur répulsion face à ces tueries, mais il souligne leur inconséquence : pourquoi alors se régalent-ils sans état d'âme avec du jarret de veau ? Veaux, agneaux, poulets ne sont-ils pas eux aussi des « petits » d'animaux, et sont-ils tués avec une délicatesse telle qu'elle fasse oublier la cruauté de l'acte ? Nos abattoirs ne sont pourtant pas des lieux de miséricorde, rappelle-t-il tout en attaquant son assiette fumante, la mort y est assénée en masse, à la chaîne, glacialement. La seule différence avec les dépeceurs de bébés phoques, c'est que chez nous, tout se passe en coulisses, dans la discrétion, le sale boulot est confié à des spécialistes, pour que justement ils l'expédient de façon propre, selon toutes les règles de l'hygiène, hors de nos regards de goinfres sensibles. Il clôt enfin sa remarque en déclarant, tout joyeux : « Succulent, ce jarret de bébé vache ! Eh bien, qu'attendez-vous pour le goûter ? Allez, mangez pendant que c'est chaud et cessez de jouer aux saintes-nitouches ! » Les deux autres haussent les épaules et, surmontant leur gêne et leur contradiction, ils se mettent à manger à leur tour, sans émettre de commentaire.

Aurélien n'est servi qu'après deux rappels, ses convives ont presque vidé leurs assiettes ; l'omelette est aux lardons et les pommes sautées sont devenues des frites. Mais comme ses camarades ne semblent pas davantage s'émouvoir de ses contrariétés culinaires que de la ruine de son disque dur dont il leur a fait part, il ne manifeste pas son agacement et avale sa nourriture sans appétit. Il sent un nœud se former dans son estomac. Et ce nœud se resserre quand les trois autres se partagent le reste du pichet sans lui en proposer une goutte. Non qu'il ait particulièrement envie de vin, au demeurant très médiocre, mais c'est leur négligence qui le peine.

« Je vais boire mon café en terrasse », prévient Maxence qui veut griller une cigarette. Anaïs est frileuse, elle préfère rester au chaud, quant à Thibaut, il ne fume pas. Aurélien non plus, ou très rarement, mais il accompagne Maxence. Dès qu'il se trouve seul avec lui, il lui demande : « Comment me trouves-tu ? » L'autre le regarde d'un œil rond, déconcerté par cette question. « Ben, tu es plu-tôt beau mec, t'as pas pris de bide, tes cheveux se clairsèment et blanchissent avec modération, c'est pas comme moi. — Mais non, il ne s'agit pas de ça ; la question est : est-ce que j'ai l'air flou ? — Pardon ? — Flou, brouillé, pas net, comme une photo tremblée, quoi. — Bof, pas trop, non... quoique... — Eh bien ?... — Je ne sais pas, disons que tu n'es guère en forme aujourd'hui, un peu terne, flapi peut-être ? — Fatal, avec mes insom-nies ! » Et Aurélien revient sur ce sujet, interro-geant Maxence, son aîné de neuf ans, sur la qualité de son sommeil – celui-ci se dégrade-t-il de façon continue, et irrémédiablement, avec l'âge ? « Pff ! siffle Maxence tout en déroulant un long ruban de fumée. Le sommeil, la belle affaire ! Sa défaillance n'est rien en comparaison de celle de la sexualité une fois franchie la cinquantaine. Non seulement on tarde à entrer en érection, mais une fois parvenu à l'état idoine, on peine à s'y maintenir. Ah, fini le beau temps des six coups par nuit ou des délices prolongées ! Il faut revoir ses prouesses à la baisse, c'est humiliant, et désolant. Et toi ? — Mon pro-blème, moi, c'est la perturbation du sommeil, pas celle de mon énergie sexuelle. — Finalement, tu es un veinard ! — Ah ? — Eh bien oui, puisque du fait de tes insomnies tu disposes de beaucoup de temps pour exploiter ton énergie sexuelle toujours solide. Alors, ne te plains pas. Au fait, tu as quel âge ? — Quarante-neuf, depuis peu. — Depuis peu ou pas, le déclin approche, mon vieux ! Ceci dit, j'espère que tu vas célébrer avec éclat ce jubilé, et n'oublie pas de m'inviter, surtout, qu'on s'amuse. Moi, dans moins de deux ans, je serai sexagénaire, je compte fêter cet affreux anniversaire avec panache, histoire d'avancer la tête moqueuse et le cœur insoumis vers la décrépitude… » Les deux autres sortent de la brasserie et brisent la crâneuse tirade de Maxence en train de narguer la mort. « Hé, vous avez vu l'heure ? Faut qu'on y aille ! » Ils repartent tous au petit trot.

Et c'est encore au petit trot qu'Aurélien quitte le bureau en fin d'après-midi, il a rendez-vous avec son ami Hubert devant le cinéma « Le Zoom » où se tient une rétrospective des films de Frank Capra ; à six heures quarante-cinq commence la séance de *La vie est belle.* Il est heureux d'avoir l'occasion de revoir cette comédie dont il garde un souvenir assez confus, car lointain. La première et dernière fois qu'il l'a vue remonte à plus de trente ans, c'était en compagnie de Balthazar. Il avait alors trouvé l'histoire un peu mièvre, mais cocasses les ressemblances entre, d'une part, Balthazar et Henry Travers, l'acteur incarnant le personnage de Clarence, le vieil apprenti-ange un brin soiffard et bedonnant, pourvu de sourcils hirsutes, et, d'autre part, Joël et le héros du drame, le délicat James Stewart à l'allure d'éternel jeune homme toujours oscillant entre bravoure et inquiétude, ruse et fragilité, élégance et dégingandement.

En attendant Hubert, Aurélien regarde les photographies extraites du film affichées derrière une vitrine du hall : James Stewart dansant avec la belle Donna Reed, grimaçant de désespoir après sa faillite, errant dans la nuit sous des gros flocons de neige, dialoguant avec son ange gardien qui espère acquérir la paire d'ailes indispensable à son état angélique, ou envahi d'enfants agrippés à son cou, à ses basques, et le banquier requin responsable du drame... Ces quelques images sont comme les éléments d'un puzzle encore très incomplet, juste de quoi ranimer de vieilles impressions, et surtout d'exciter son envie de redécouvrir le film. Pendant ce temps la foule des spectateurs ne cesse d'augmenter, parmi lesquels Hubert n'apparaît toujours pas. Aurélien prend place dans la queue, mais c'est déjà trop tard, le petit écran d'information installé au-dessus de la caisse annonce qu'il ne reste plus que seize places, plus que quinze, plus que douze... il essaie d'appeler Hubert, mais il n'obtient que l'affreux bruitage dont celui-ci a doté le répondeur de son portable – une voix tonitruante déclarant, sur fond de pétarade de moto et de klaxon : « Pouêt pouêt... Je suis parti ! Broum vrououm... Laissez-moi un message... vraououm ! » Le temps que la moto déguerpisse et que la parole soit donnée à Aurélien, le nombre des places a dégringolé à cinq. « Hubert, où es-tu passé ? On va rater la séance !... » C'est fait, c'est raté : trois, zéro. Complet. « Foutu, soupire-t-il avec dépit. Bon, je t'attends au bistrot "Le Cactus" à côté du cinéma. Qu'on boive au moins un verre ensemble. » Il prend sur un présentoir une fiche technique du film et part s'installer à la terrasse du « Cactus ». Il demande un panaché.

« It's a wonderful life. » Une phrase tirée des dialogues est mise en exergue sous le titre : « Each man's life touches so many others lives, and when he isn't around, he leaves an awful hole. » Il la relit trois fois sans bien la comprendre, car le dernier mot lui échappe. « Hole, hole... », se répète-t-il ; il sait qu'il le connaît pourtant, il a sa traduction sur le bout de la langue... « hole, hole... » mais à force d'hésiter en sautillant dans sa bouche, ce mot finit par se transformer en un autre : « hoax », ce qui gauchit bizarrement le sens de la phrase. « La vie de chaque homme en touche beaucoup d'autres, et quand quelqu'un manque, il laisse un affreux canular. » « Un affreux canular ? » s'étonne Aurélien qui sent que quelque chose cloche dans sa traduction. D'un coup il repense à son ami qui lui a posé un lapin et ne l'a pas encore appelé pour s'excuser, ou au moins s'expliquer. Il retente sa chance au téléphone. Cette fois le boucan du répondeur lui est épargné, Hubert décroche. « Ah oui, j'allais te rappeler, dit-il d'un ton sans conviction. C'est que j'avais totalement oublié notre rendez-vous... le boulot, et puis les enfants, c'est mon tour de garde ce soir... d'ailleurs ils m'appellent, je dois te laisser, je te téléphonerai plus tard, excuse-moi. Salut ! » Mais les voix qu'Aurélien vient d'entendre en fond sonore ne semblaient pas celles d'enfants, plutôt celles d'adultes en train de s'amuser et de parler avec vivacité. Il a la désagréable impression que son ami lui a menti. Chagriné, il se lève et s'en va sans plus attendre son panaché que le serveur, de toute façon, tardait fort à lui apporter.

Alors qu'il se dirige vers la station de métro, il pile au milieu du trottoir et se tape le front en s'écriant à mi-voix : « Trou !… » Un passant le bouscule, mais cette fois il ne s'en étonne pas, son arrêt soudain en est la cause. « Trou, bien sûr, se répète-t-il, soulagé d'avoir retrouvé la traduction du mot "hole". Quand quelqu'un manque, il laisse un trou terrible… » Du coup, le film qu'il n'a pourtant pas revu lui revient un peu en mémoire, et dans la foulée remontent d'autres souvenirs, par bribes, pêle-mêle.

Rentré chez lui, il appelle Clotilde. Il a besoin de l'entendre, et envie de l'informer de ses déconvenues de la journée, il en serait ainsi un peu soulagé, mais une voix de synthèse lui annonce que sa correspondante n'est pas disponible pour l'instant et qu'il peut laisser un message ou rappeler ultérieurement. Après trois nouveaux essais infructueux, il renonce. Il n'a pas envie de confier sa peine à une boîte vocale, et comme il ne peut plus la raconter via un courrier électronique, sa messagerie étant naufragée, il se résigne à cuver seul l'amertume de ce lundi inamical. Demain sera un meilleur jour, il va passer la soirée et la nuit chez Clotilde, et le lendemain ils ont tous les deux congé, ils ont prévu d'aller faire un tour à la campagne si le beau temps se maintient, et au retour, il ira voir sa mère et Joël.

MARDI

Cela ne lui est pas arrivé depuis longtemps : une nuit calme et continue, sans crise d'insomnie. Il n'en éprouve pas moins une grande fatigue à son réveil. Il se sent à la fois lourd et creux, comme épuisé par un long pleurement. Il n'a pas pleuré, pourtant, et il a beau chercher, il ne se souvient d'aucun rêve, sinistre ou non, du moins rien de précis, aucune image. Juste une sensation de vide, de froid – de vide dans son ventre et de froid dans ses membres. Ce n'est pas de la faim, et ce n'est pas de la fièvre. C'est autre chose, mais il ne sait pas quoi. Quelque chose, peut-être, comme un chagrin d'enfant.

Oui, c'est cela, un chagrin d'enfant, tel qu'il n'en a plus connu depuis des décennies ; et profond, aigu. Tout à fait absurde, surtout, et même incongru, à son âge ! Il a besoin d'entendre une voix familière, mais il s'interdit d'appeler sa mère, car pour le coup, ce serait s'infantiliser. « Allô, maman, j'ai le cafard et je ne sais pas pourquoi. Fais quelque chose ! » Il compose le numéro de Clotilde. Il la réveille, elle répond d'une voix ensommeillée, mécontente. Rentrée la veille de Buenos Aires, elle est dans l'égarement du décalage horaire. Il perd pied devant les bâillements et les grommellements de sa bien-aimée à demi endormie, et il bafouille des inepties, n'osant pas lui parler de l'abrupte tristesse qui lui fouaille le cœur. Il abrège son appel, et dans un murmure, presque, il lui dit « Je t'aime. À ce soir », avant de raccrocher. Mais a-t-elle seulement entendu ce qu'il vient de lui dire ? Il ferait peut-être mieux d'appeler sa mère, après tout, c'est une lève-tôt, elle, et pleine d'entrain dès le saut du lit. Il hésite, triture un moment son téléphone, se ravise, le repose et s'éloigne en haussant les épaules.

Il va prendre une douche, très chaude, pour dissiper l'impression d'être tout mouillé de larmes, puis il s'asperge d'eau glacée et se frotte avec énergie pour se fouetter le sang. Il se rase, se parfume, met un peu de couleur dans son habillement en choisissant une chemise vert pâle dont il garde le col ouvert. Il est exceptionnel qu'il consacre autant de soin à sa toilette et à sa mise, mais son corps, très obscurément, et puissamment, réclame sa part de bienveillance, de dorlotage. Il se prépare ensuite un petit déjeuner copieux, pas seulement un morceau de fromage accompagné de cornichons, mais aussi des œufs brouillés, puis du pain beurré tartiné de confiture au cassis. Voilà, il est à présent rassasié et réchauffé. Il ouvre la fenêtre de sa cuisine, inspecte le rectangle de ciel visible au-dessus de son encombrant vis-à-vis ; il est d'un bleu tendre, l'air est printanier. Il enfile la veste en cuir que Clotilde aime le voir porter. Cette veste lui va en effet très bien, et elle est souple et douce au toucher, agréable à l'odorat. Clotilde a un flair de loup, mais de loup délicat et sensuel. C'est elle qui lui a choisi son parfum, à notes boisées. Il retourne d'ailleurs dans la salle de bain pour s'en vaporiser encore un peu. Il se jette un coup d'œil dans la glace. C'est vrai qu'il est plutôt beau mec, comme le lui a déclaré Maxence, et chic avec cette chemise vert pâle et cette veste en cuir noir. Que l'on n'aille pas prétendre qu'il est flou aujourd'hui !

Le voilà parti à la conquête du jour, fleurant le cuir et le sous-bois, les épaules droites, le pas alerte. Les yeux aux aguets, il prévient la maladresse des passants en s'écartant tantôt à droite, tantôt à gauche dès qu'il croise quelqu'un ; il marche en zigzaguant parmi les gens, et il fait de ce louvoiement un jeu. Quand il aperçoit son bus approcher de l'arrêt qu'il avait grillé la veille, il se hâte en agitant bien haut un bras. Le véhicule oblique et se range devant l'abribus. Une jeune femme en descend au ralenti, les bras encombrés par une poussette, le conducteur surveille l'opération dans son rétroviseur pour ne pas refermer les portes malencontreusement. Aurélien a le temps d'atteindre le bus et d'y monter.

Devant l'entrée de l'immeuble du bureau se tient Anaïs, en train de fumer.

Il n'est pas plus tôt arrivé à sa hauteur qu'elle entonne sa plainte d'être obligée de fumer dans la rue, rien que dans la rue, comme une tapineuse. « Je n'ai rien contre les prostituées, précise-t-elle, mais je ne les envie pas, car battre le pavé tout le jour, c'est sûrement aussi usant que de faire des passes en série avec des inconnus, dont plus d'un doit être moche, barjo, ou crado, sans parler des pervers… » Sur ce, elle écrase son mégot avec application du bout de sa chaussure, l'expédie dans le caniveau, et entre dans le hall. Aurélien la suit. Une petite déception l'attend, Gladys n'est pas là ce matin, une autre hôtesse d'accueil a pris sa relève. Une grande bringue maquillée à outrance, qui semble si imbue d'elle-même qu'elle doit s'écouter respirer avec délectation. Elle effleure les deux arrivants d'un regard inexpressif. Elle a des cils surchargés de mascara bleu électrique, recourbés et duveteux comme des crosses de fougère.

Mais il a la satisfaction de constater que les ascenseurs sont réparés.

« Sale odeur, tu ne trouves pas ? interroge Anaïs en reniflant l'air de la cabine. Ce doit être un produit de nettoyage, ou une autre cochonnerie chimique… — Sens plutôt mon parfum, fruit, lui, de l'alchimie des fleurs et des plantes… », propose Aurélien en plaisantant. Il se penche vers elle et tire légèrement sur le col de sa chemise pour mieux laisser s'exhaler la senteur. Même s'il sait que son parfum plaît en général beaucoup, il a envie de tester son effet une nouvelle fois, comme pour mieux s'assurer que Clotilde aura plaisir à le sentir, ce soir. Anaïs pique son nez vers le col, flaire consciencieusement, et déclare : « Je ne sens rien. Aucun parfum, pas même la trace d'une eau de Cologne ou d'un after-shave… — Ce n'est pas possible ! Tu n'as pas de nez, ma parole ! — J'ai un museau de limier, désolée. Ou ton flacon était vide, et tu t'es vaporisé du vent, ou ton parfum trop vieux et éventé. Ou encore, ta peau ne tient pas du tout les parfums… ah, on arrive. » La porte s'ouvre, Anaïs sort et se dirige vers une collègue qu'elle aperçoit pour entamer aussitôt avec elle une discussion sur un problème de dossier incomplet. Aurélien se tord la tête vers son col, il perçoit très bien les effluves à la fois subtils et puissants de muscade et d'œillet, soutenus par un fond de vétiver, qui embaument son cou. Quant à sa veste, elle dégage sa fine odeur de cuir. Il en conclut qu'Anaïs a des œillères, puisqu'elle est insensible au charme de Gladys, et que le tabac lui a anesthésié l'odorat, juste capable de déceler les relents de produits chimiques. Il s'assied à son bureau. Sitôt l'écran de son ordinateur allumé, il oublie ce désappointement dérisoire.

Il laisse passer le moment de la pause-café, tant il est concentré sur son travail. Cette tension se relâche d'un coup, il se renverse contre son siège, cligne des yeux, et reste quelques instants immobile, les bras ballants. La sensation de faim et de froid qui l'avait saisi au réveil se redéploie dans son ventre et ses membres par petites ondes, et dans la foulée, un goût de désolation, très fade, commence à poindre en lui. Il regarde sa montre, il est midi et demi. Vite, il se lève, endosse sa veste et va chercher ses collègues avant qu'ils ne s'éclipsent sans lui.

Thibaut est aujourd'hui en congé, et Anaïs a rendez-vous chez son dentiste. Il reste Maxence. Un déjeuner en tête à tête avec lui serait bienvenu, Aurélien a de l'amitié pour cet homme solitaire qui affiche son désabusement avec ironie, surtout à l'égard de lui-même, mais qui reste un bon vivant, et qui est cordial. « Et si on changeait de resto, pour une fois ? lui suggère Aurélien, on pourrait manger au "Coq d'Or", c'est plus calme qu'à "La Marquise", et plus raffiné. — Mouais, pourquoi pas… » Maxence ne manifeste guère d'enthousiasme, malgré tout Aurélien est si heureux qu'il ait accepté sa proposition, fût-ce avec mollesse, qu'il ajoute aussitôt : « Et c'est moi qui invite. »

Il commande une bouteille de pommard, qu'il sait être un des vins préférés de Maxence. Ce dernier s'étonne de cette festivité impromptue. « Que fêtons-nous ? Tu as obtenu de l'avancement, une prime ? Tu vas quitter la boîte pour un meilleur job ? Tu as rencontré une nouvelle nana, belle comme une aurore boréale ? demande Maxence en humant son verre. — Ni avancement ni prime, aucun changement en vue, ni professionnel ni amoureux. — Alors quoi ? — Ben rien. Comme ça. — Voilà qui me plaît, déclare Maxence, un cadeau gratuit, un plaisir à l'improviste ! Ce sont les meilleurs. Ah ! Ce vin est excellent. À ta santé ! — À la tienne… Dis, est-ce qu'il t'arrive, parfois, d'avoir le moral à zéro, très en dessous de zéro, même, sans crier gare, sans raison particulière ? — L'anti-cadeau gratuit, en somme ? — Oui, c'est cela, un grand coup de déprime, un sentiment de vide, de nullité, d'abandon… — Bah ! Cela ne m'arrive pas parfois, c'est mon lot quotidien, la basse continue de ma vie. C'est bien pourquoi je fais grand cas des bons moments, qui sont méchamment rares, et fugaces. "Condition de l'homme : inconstance, ennui, inquiétude", constatait Pascal. Je remplis pleinement cette condition ! Oui, nous sommes de foutues chimères, de sombres cloaques d'incertitude et d'erreur, des rebuts de l'univers… — Tu tronques la citation, rectifie Aurélien, Pascal qualifie aussi l'homme de nouveauté, de prodige, et de gloire de l'univers, non ? — Je lui laisse ses admirations et ses extases, faute de les partager, je ne retiens de lui que ses constats glacés. Il avait le génie de l'observation et l'art de la formule, un tranchant de scalpel ! Il a très bien compris les ressorts et l'utilité du divertissement, que, d'ailleurs, il ne condamne pas. Sans les piments des distractions et des amusements en tout genre, nous crèverions de fadeur, nous étoufferions d'ennui. Mais quel boulot que de préserver, et si possible de renouveler la saveur des piments : la fadeur du monde est si poisseuse, et l'ennui tellement sournois, coriace. Le combat n'est pas égal. Au fond, les mécréants qui bravent l'absurdité de ce monde et défient l'ennui en grands jouisseurs, vaille que vaille et par tous les moyens, sont des héros, des héros tragiques, les seuls que j'admire. — Tu te considères des leurs ? — Moi ? Un héros miniature, ouais, pour ne pas dire raté… une sorte de Sancho Pança de la désespérance. Allez, reprenons plutôt un peu de ce vin. » Mais il n'en verse que dans son verre, celui d'Aurélien étant encore plein.

Maxence s'égare trop dans des généralités, Aurélien voudrait l'amener sur un terrain plus intime. Il revient à la charge. « Laisse Pascal de côté et oublie tes héros tragiques. Le continuo de ta mélancolie face à ce que tu considères l'ineptie et l'insipidité de l'existence n'en est pas moins brisé, de-ci de-là, par des moments plus vifs, piquants, jouissifs, il doit donc aussi t'arriver l'inverse, des brisures par le bas, des moments encore plus creux, cafardeux, des... des... des coups de panique, de détresse... » Il n'ose pas lâcher l'expression « chagrin d'enfant », ne sachant pas bien lui-même ce qu'il entend par là, et appréhendant une réaction moqueuse. « Écoute, pour l'heure, je déguste un vin de qualité et un savoureux chateaubriand aux pommes, je n'ai pas envie de gâcher ce plaisir en évoquant mes crises de spleen, ce serait mal à propos, sinon indécent, tu ne crois pas ? Chaque chose en son temps. — Tu as raison, restons dans l'espace du plaisir, concède Aurélien, et il retourne sa question. Tiens, est-ce que tu te souviens d'un émoi particulièrement fort, magnifique, dans ton enfance ? — Oh que oui ! La première fois que j'ai vu le sexe d'une femme, pour de vrai, en direct, pas en photo... — J'ai dit l'enfance, Max, pas l'adolescence ! — J'étais à la frontière des deux, j'avais dans les treize ans à peu près. Ça me tracassait depuis un moment déjà, le corps des femmes, leur anatomie secrète, leur chatte... j'avais vu des photographies érotiques, mais bon, ça restait virtuel, des images sur du papier. Et puis un jour...

C'était en été, je me trouvais chez un copain, on jouait au basket dans son jardin. Sa mère l'a appelé à la maison pour je ne sais pas quoi, je suis resté seul dehors. Pour passer le temps en attendant son retour, je me suis amusé à dribbler le long de l'allée, ce jardin était tout en longueur. À un moment j'ai dû flanquer un coup un peu trop fort et le ballon a filé. Et aussitôt j'ai entendu un rire – mais quel rire ! Un délice de sons, comme un grelot d'argent ; j'ai tourné la tête et j'ai aperçu une femme à demi allongée sur un transat, vers le fond du jardin, près du mur. Le ballon avait roulé à côté de sa chaise. Elle tenait un livre, qu'elle a refermé et posé sur l'herbe. Elle m'a apostrophé avec douceur – ah, quelle voix elle avait, à la fois limpide et assourdie ! et m'a fait signe d'approcher. Elle devait avoir entre trente et quarante ans, elle était coiffée d'un bob en toile blanche, et sa robe aussi était blanche, à rayures jaunes, une robe plissée, sans manches. Ses jambes, comme ses bras, étaient nues. Elle m'a souri, les yeux fixés sur moi, puis elle a retroussé lentement sa robe, jusqu'à mi-ventre, et à mesure elle remontait et écartait ses jambes. Elle ne portait pas de culotte, que dalle. Moi, je bougeais pas, éberlué que j'étais, le souffle coupé. Je me tenais à quelques pas d'elle, de ses cuisses grandes ouvertes autour du sexe brun foncé, frisé. Et la fente au milieu, rosâtre. C'était comme sur les photos des magazines, et tellement différent... tellement plus beau et laid à la fois, bizarre, intense, inquiétant... Je me sentais dans le même temps cloué au sol et propulsé à des années-lumière. Mais mon copain m'a appelé, c'était l'heure du goûter, tu parles si je m'en foutais de ses pains au chocolat, j'avais la tête ailleurs, et la faim en cavale. Ou plutôt, une faim cannibale : bouffer la femme, mordre dans sa chair. Elle a refermé ses jambes et rabattu sa robe, l'air de rien, elle a ramassé le ballon échoué près d'elle et me l'a lancé en me disant d'aller vite retrouver mon camarade. J'y suis allé, rouge comme une crête de coq, je tanguais sur un nuage, mais un nuage de feu, d'électricité ! J'ai pas pipé un mot de cette histoire, ni à mon pote ni à d'autres. — Et la femme, c'était qui ? — Une amie de sa famille, ou une parente, je ne sais pas. En tout cas, une somptueuse et exquise salope. Je ne l'ai jamais revue. Mais le choc qu'elle m'a alors donné a été si vif que je me souviens d'elle encore aujourd'hui, avec précision, quarante-cinq ans après. — Histoire vraie ou fantasme ? On dirait une mise en scène du tableau de Courbet, *L'Origine du monde…* »

Mais Maxence ne lui répond pas, il est si goulûment emporté par son sujet qu'il semble ne plus pouvoir s'arrêter, et la question posée par Aurélien se perd en tant que telle pour se glisser dans le flux de son discours. « Une artiste, cette femme, finalement, digne de Courbet, ce maître de la chair. Quand j'ai découvert son fameux tableau, *L'Origine du monde*, des années plus tard, j'ai ressenti la même émotion que face à la femme du transat qui m'avait montré son con en riant… une égale impudicité, mais avec une petite différence, cependant : l'obscénité de la femme qui s'était exhibée devant moi gamin était à la fois perverse, enjouée, agressive et attrayante, tandis que celle du tableau m'a semblé placide, oui, souveraine de placidité. Et puis, dans le jardin, il y avait un décor autour de mon exhibitionniste : l'herbe, les buissons, le transat en rotin, le bob et la robe à rayures, et surtout l'ensemble de son corps, avec les jambes, les genoux, les pieds, et à l'autre bout, le buste, la tête, et unifiant le tout, son rire, sa voix, sans oublier la lumière du jour... tout ça en vrac, et vague, parce que je n'avais d'yeux que pour l'entaille rose dans la toison brune. Mais le tableau, lui, il ne propose rien autour du sexe étalé, aucun accessoire, ni corps ni visage ni jour, juste l'entrejambe, les bulbes des fesses en dessous et le gras du haut des cuisses, la masse tendre du ventre troué par le nombril, la courbe d'un sein au téton rose dressé, et pas d'autre lumière que la clarté nacrée de la peau nue. Ce n'est même pas une femme-tronc, mais une femme-bas-ventre. Pas de distraction, aucune échappée possible, le regard est happé, assigné à fascination, il est comme aveuglé. Interdit, frappé de stupéfaction devant... devant *rien*, précisément ! — Je ne crois pas que... — Et délivré. Le regard est affranchi de toute illusion, de toute idéalisation, de toute mythologie... — La fascination et la liberté sont difficilement compatibles, et... »

Toute tentative d'Aurélien pour dialoguer avec Maxence échoue à présent, ce dernier semble avoir oublié qu'il a devant lui un interlocuteur, il dévide sa palabre en un fougueux monologue. « Il est fort, ce Courbet, poursuit-il, en quelques savants coups de pinceau il tord le cou à la transcendance : hop, à la trappe, le divin ! Foin de l'Incarnation ! La carnation suffit ! Honneur à la seule chair mûrie dans l'humus où elle retournera et pourrira. Gloire de la chair, puis dégringolade de la chair en carne, et de là en charogne, laquelle fertilise l'humus, et la ronde continue. Gloire éphémère et perpétuelle, en millions, en milliards d'éclats. Il n'y a pas d'autre révélation, pas d'autre vérité que celle-là. Courbet a peint là une Apocalypse tranquille, tragique et voluptueuse, il a... »

Le serveur se montre plus efficace qu'Aurélien, il interrompt Maxence en plein élan lyrique en venant proposer fromage ou dessert, et il commence à leur énumérer la liste des pâtisseries, en leur vantant tout particulièrement la tarte Tatin maison flambée au calvados, accompagnée de son pot de crème fraîche et de sa boule de glace à la vanille. « Pas de dessert, merci, déclare Maxence, mais du calvados, voilà une bonne idée. Un café serré et un verre de calva, donc. Et toi ? » Aurélien sursaute presque devant cette question, comme étonné de retrouver soudain consistance aux yeux de son convive. « Pour moi, juste un café. »

Il a très peu bu et à peine mangé, il a la gorge serrée. La faim qui l'a saisi à son réveil, un moment apaisée par son petit déjeuner plantureux, le tenaille à nouveau mais ne se satisfait d'aucune boisson, d'aucune nourriture, elle ne vient pas de l'estomac, plutôt de toutes les fibres de sa chair, elle monte de loin, du fond de l'enfance. La longue palabre de son invité, si elle l'a intéressé au début, a fini par le mettre mal à l'aise dans la mesure où elle s'est déroulée en un monologue croissant, ce qui n'est pourtant pas dans le caractère de Maxence qui d'habitude aime débattre, voire disputer avec ses interlocuteurs. Il se demande d'ailleurs quelle mouche du soliloque a bien pu le piquer aujourd'hui. « C'est le pommard qui l'a grisé… je n'aurais pas dû le laisser siffler seul la bouteille, et ce calva en prime risque de l'achever… », se reproche-t-il.

Ils n'ont pas plus tôt pris place en terrasse, où Maxence a demandé à être servi afin de pouvoir fumer à son aise, que le téléphone de ce dernier se met à sonner. Il jette un coup d'œil sur le cadran et, tout souriant, il prend l'appel. « Olympe, ma petite puce adorée ! Comment s'est passé ton examen de physique ? » Aurélien sirote son café du bout des lèvres, puis, comme la conversation de Maxence avec sa petite fille se prolonge, il retourne dans le restaurant pour aller régler le repas. Quand il ressort, il voit Maxence en train de s'éloigner sur le trottoir d'en face, le téléphone toujours plaqué contre l'oreille. Sur la table, la tasse de café et le verre de calva sont vides. Aurélien presse le pas pour le rejoindre, mais une voiture manque de très peu de le renverser alors qu'il traverse la rue pourtant pile dans les clous. Il a juste le temps de faire un bond en arrière. Il attend prudemment que plus une seule voiture ne soit en vue pour se risquer sur le passage clouté.

Il a envie de revoir l'œuvre de Courbet qui séduit tant Maxence. Comme il a bien avancé son travail durant la matinée, il s'octroie une escapade sur internet pour trouver une reproduction de cette peinture à éclipses et à secrets. Des milliers de rubriques s'annoncent, il en élimine la plupart pour cliquer sur les annonces qui lui paraissent les plus précises. Une reproduction du tableau apparaît sur son écran, mais aux dimensions d'un timbre-poste, il continue sa quête et finit par trouver une illustration de la taille d'une carte postale. La toison brune étalée au milieu de ce tronçon de corps tout en rondeurs, d'un rose laiteux et satiné, lui fait penser à une tache d'encre aux contours irréguliers et effrangés s'étalant sur un papier buvard, mais aussi à une touffe de mousse sombre, à la fois crépue et veloutée, ou à une plaque de lichen s'évasant sur une roche lisse. Ce lichen est-il sorti de la fente qu'il cerne et couronne, ou bien descend-il à son assaut pour la recouvrir, voire pour la coudre ? Mais cette toison ne renvoie pas seulement au végétal, elle évoque tout autant l'animal, un oursin, ou une araignée velue, ou encore une étoile de mer un peu difforme, à quatre branches inégales. Le jeu des ressemblances pourrait se décliner indéfiniment.

Aurélien poursuit son survol zigzagant des œuvres de Courbet. Devant l'une d'elles, il éclate de rire : la nuée de poils quadricorne posée sur le pubis de la femme semble faire écho à la moustache et à la barbiche du jeune Courbet tel qu'il s'est représenté dans *Le Désespéré* ; fissure étroite et verticale du sexe féminin, faille horizontale de la bouche du jeune homme. Lèvres du dehors et lèvres du dedans, lèvres nues et lèvres encloses, dissimulées. Et au sein de ces cavités, la langue, la vulve, et en leur profondeur, la nuit du corps, la moiteur de la chair, la très sourde rumeur du sang frottée de cris, de feu, de murmures, de sel, de silence. Il en va pareillement avec les yeux, globes humides percés d'un orifice, tournant, roulant, à peine, sous la fine peau des paupières. Salive, humeurs, larmes, sueurs, lymphe, sang, liquides de semences… aquosité des corps.

Des cavités, Courbet en a peint bien d'autres encore, amples et minérales, celles où naissent les sources, et aussi celles des fosses noires, abruptes, ouvertes dans la terre pour y déposer les morts, mi-déchets mi-engrais. Aurélien se lève pour aller proposer à Maxence de venir jeter un coup d'œil au portrait de Courbet en *Désespéré* affiché sur son écran, mais lorsqu'il s'approche de son bureau il s'aperçoit que son collègue s'est assoupi sur sa chaise, le menton pointé vers la poitrine. Il le laisse digérer en paix son repas trop arrosé et retourne à sa place.

Sa curiosité est retombée, il parcourt à présent distraitement le site qu'il visitait, pressé même d'en sortir et de se remettre au travail. Soudain il s'arrête, la main en suspens. Un paysage vient de happer son attention. Il s'agit du *Château de Blonay*, panneau peint par Courbet pour servir de cache à sa sulfureuse *Origine du monde*. Un ciel d'hiver, vaste, gris blême, la masse obscure du château dressée sur une colline noire, et au premier plan, des arbres nus sur fond de neige. Il contemple longuement le tableau, s'imprègne de ses tons froids, de son austérité, de son silence. L'ordinateur finit par se mettre en veille, l'image disparaît de l'écran qui se laque de noir où tournoient des spirales mauves et bleu électrique, Aurélien ne bouge pas, il ferme les yeux. C'est en lui qu'il ranime l'image, et peu à peu celle-ci se transforme, elle s'étend, l'horizon recule, tirant une ligne bleuâtre entre le ciel blafard et la terre enneigée.

Il a trois ou quatre ans, il glisse le long d'une pente, blotti contre sa mère sur une luge. Des arbres défilent à vive allure, leurs branches sont griffues et leurs silhouettes maigres, on dirait des squelettes de sorcières calcinées. Il pousse des cris – de joie, d'excitation, de peur, d'émerveillement. C'est la première fois qu'il voit la neige, la touche, la sent. Ses cris se cassent aussitôt dans l'air glacé, comme des stalactites, il a l'impression que sa voix se détache de son corps et qu'elle part rebondir au lointain. La clarté du jour est étrange, elle poudroie, soyeuse et cendrée, il n'en a jamais vu de semblable. C'est une clarté d'aube du monde, ou de sa fin, à moins qu'il ne soit entré par effraction, par enchantement, dans un autre monde? Toute cette beauté insolite l'éblouit et l'inquiète, c'est comme s'il assistait à sa propre naissance. Mais laquelle? Est-il en train de naître, ou en voie de mourir? Et derrière lui, l'enserrant, est-ce bien sa mère, toujours, ou une autre personne… un de ces arbres-sorcières, peut-être, ou la cruelle Reine des Neiges? Il n'ose pas se retourner. Le vent siffle, lèche sa face d'une langue râpeuse. Est-ce la langue d'un loup immense et invisible? Il rit, d'un rire aigu où perce la panique. Sa mère resserre son étreinte et lui chantonne à l'oreille sa ritournelle dont les drôles de mots sonnent si joliment : « Biedroneczko lec do nieba, przynies mi kawalek chleba[1]. » Son rire s'apaise aussitôt et tinte avec gaieté; seule sa mère sait chanter cela, dérouler cette phrase ainsi qu'un filet d'eau fraîche versé d'une cruche avec vivacité.

Et monte en lui l'odeur de la neige. Odeur âpre, rugueuse, et pourtant délicate qui pénètre tout,

---

1. *« Petite coccinelle vole vers le ciel, apporte-moi un morceau de pain. »*

tant le ciel que la terre, tant l'espace que le temps, les nuages, la lumière. Lumière aux brusques volte-face, étincelante puis ombreuse, tantôt bleutée, tantôt pailleuse, ou rosâtre. Tout a le vif et la saveur du froid. Et, en un éclair olfactif, lui revient la senteur du froid sur la peau de sa mère – sur les joues, et surtout dessous l'oreille à demi cachée par le bonnet de laine, dans le cou, à la naissance des cheveux, là où le froid s'allie à la chaleur du corps, les deux opposés s'exaltant mutuellement, en douceur. Là où s'enlacent l'oubli et la mémoire pour produire un souvenir flottant qui hante en sourdine les sens, le cœur, les rêveries, continuellement, et qui cependant manque toujours, échappe à tout rappel, s'évapore – sauf en de rares instants, comme celui-ci, où le souvenir-fantôme surgit, sans crier gare, net et puissant, bouleversant.

Il rouvre les yeux, un peu ahuri d'avoir vagabondé si loin dans son enfance et de s'en expulser brutalement. Il délaisse internet pour revenir à ses dossiers en cours, mais son esprit reste troublé par cette glissade en luge, par les chatoiements de blancheur cendreuse, par l'exhalaison de neige, et surtout par cette si tendre bouffée de froid sur la peau. « Aucun parfumeur ne parviendra à recréer cette odeur, conclut-il, elle est composée de très grands *riens* – de vent, de clarté froide, d'espace, de neige –, et d'un je-ne-sais-quoi unique, inimitable – un petit pan de peau très fine, une goutte de tiédeur, la grâce de la vie. Aucun, jamais, et c'est tant mieux. » Cette discrète et si intense signature de vie cachée derrière l'oreille, à la racine des cheveux, il l'a cherchée chez chacune des femmes qu'il a aimées, mais une seule l'a émue aussi profondément que sa mère en ce lointain jour de neige, Clotilde. Et soudain, ce que celle-ci lui a dit quelques jours auparavant lui revient à l'esprit, s'y pose, y rayonne : « Et si nous avions un enfant, toi et moi ? »

Il se souvient de leur première rencontre, sous les auspices d'un chapeau. Un chapeau cloche en feutre rouge ponceau, posé sur la tablette d'un portemanteau dans une brasserie. Un rai de lumière était venu l'effleurer, esquissant un petit rond rosâtre sur l'un de ses bords. Cette touche de soleil tremblait comme un pétale translucide prêt à se détacher de la corolle d'un coquelicot. Quand le reflet s'était éteint, Aurélien avait cherché des yeux dans la salle quelle cliente pouvait bien être la propriétaire de ce chapeau ; peut-être cette blonde, assise là-bas, rieuse et volubile, ou bien cette brune, revenant des toilettes, élancée, l'air volontaire, ou encore cette fille aux traits asiatiques, en train de griffonner dans un carnet ? Mais ce pouvait être aussi cette septuagénaire aux cheveux courts, d'un blanc de lait, au visage grave et lumineux. Lorsqu'il avait reporté son regard vers le portemanteau, la tablette était vide. Il avait alors aperçu une femme coiffée de la cloche rouge sortir de l'établissement. Sans prendre le temps d'appeler le serveur, il avait plaqué sur la table un billet qui couvrait au moins le triple de sa consommation, et avait quitté la brasserie en toute hâte pour se lancer à la poursuite de la femme coquelicot. Il l'avait rattrapée, avait su l'aborder, la mettre en confiance, peu à peu la séduire, finalement la charmer. Clotilde, elle, l'avait ravi d'emblée, avant même de paraître.

Un détail, qu'il n'avait jusqu'alors jamais relevé, le surprend : la tache de soleil sur le chapeau frémissait à hauteur du lobe de l'oreille… oui, d'un coup il en est sûr, c'est une évidence. Ce détail anodin le met en joie, il lui semble porteur d'autant de sens que de délicieux non-sens, et surtout de promesse. Décidément, oui, il est grand temps qu'ils aient un enfant, tous les deux.

Il arrive chez elle avec un gros bouquet de renoncules rouge feu dans une main, une bouteille de champagne millésimé dans l'autre. Bien qu'il ait la clef de l'appartement, il sonne, et il attend, ses cadeaux brandis au bout de chaque bras, tel le vainqueur d'une course. Mais c'est une inconnue qui ouvre, et derrière elle il entend un brouhaha de voix. Ses bras retombent. Il pense s'être trompé d'étage et s'apprête à s'excuser lorsqu'il aperçoit Clotilde qui passe de la cuisine au salon, portant un plateau de charcuterie. L'inconnue claironne : « Un nouvel arrivant, et joliment achalandé ! », elle tourne aussitôt les talons. Aurélien reste planté sur le seuil, déconcerté. Quand Clotilde reparaît dans l'entrée, il s'avance vers elle et lui demande, désagréablement surpris : « Tu as de la visite ? Nous devions passer cette soirée tous les deux, non ? — Ah ?... » À l'évidence, elle avait oublié. Elle prend le bouquet et le champagne et, sans répondre à sa question, et surtout sans l'embrasser ni le remercier, elle file vers la cuisine. Il lui emboîte le pas, froissé et déjà irrité. « Mais enfin, Clotilde, qui sont tous ces gens qui brament à côté ? Ils ne vont pas trop s'attarder, j'espère… — Pardon ? Ah oui, j'ai invité quelques collègues amis, certains étaient avec moi pour ce voyage, on fête l'anniversaire de deux d'entre eux, nés le même jour, à deux ans d'intervalle, le prochain départ de deux autres, et aussi la naissance des jumeaux de ma nouvelle collaboratrice. Une fête sous le signe du double ! Mais les jumeaux sont faux, un garçon et une fille. » Cette précision laisse Aurélien furieusement indifférent. « Tiens, dit-elle en lui flanquant un long couteau entre les mains, tu peux couper du pain, il y a cinq baguettes posées là, et voici les corbeilles. » Sur ce, elle repart, chargée d'un énorme saladier en plexiglas jaune fluo.

Aurélien est de plus en plus interloqué par le comportement de Clotilde, d'habitude si affectueuse ; et puis, d'où peut-elle bien sortir cet affreux saladier ? Sûrement un cadeau de l'un de ces intrus. Il met le champagne au frais, cherche un vase pour les renoncules, n'en trouvant pas, il utilise une cruche, puis il s'occupe du pain. Mais il ne l'apporte pas tout de suite dans le salon, il se rend d'abord dans la chambre pour y déposer les fleurs. Il les a choisies pour elle, pour elle seule, comme un signe, un baiser dans le cou, une caresse, et le champagne aussi, au léger arôme de fumé et d'agrumes, à la bouche boisée, il l'a sélectionné pour elle.

La chambre est plongée dans l'obscurité, les volets sont fermés. Il n'a pas fait trois pas qu'il trébuche contre un objet qui traîne sur le sol et la cruche se renverse. Des cris, à la fois faibles et perçants, s'élèvent brusquement. Un duo de pleurs. « Merde ! Les jumeaux ! » grommelle-t-il en tâtonnant vers le commutateur. La lumière attise les glapissements des nourrissons. Il se penche vers leur couffin passablement arrosé, et jonché de fleurs. Il se félicite de n'avoir pas acheté des roses. Il s'empresse de ramasser les renoncules, tout en chuchotant des « chut ! » et des « dodo ! » tout à fait inefficaces, il balance les fleurs sur le lit, où les invités ont entassé leurs vestes et leurs manteaux, éteint vite la lumière et hisse les petits corps hoquetants hors des draps mouillés.

Le voici assis par terre, un bébé au creux de chaque coude, en train de fredonner « Biedroneczko lec do nieba, przynies mi kawalek chleba. » Les nourrissons commencent à se calmer, mais un cri, d'adulte cette fois, provoque à nouveau la panique. C'est la mère, venue vérifier ce qui se passait, et qui, découvrant sa progéniture dans les bras d'un inconnu, étranger de surcroît d'après les sons chuintants de la chansonnette qu'il débite, croit qu'il s'agit d'un pervers ou d'un kidnappeur. Une fois le malentendu dissipé, la mère n'en continue pas moins à considérer Aurélien d'un œil torve. Elle ne se déride que lorsqu'il s'enquiert des prénoms de ses chérubins. « Glamour et Saxo », déclare-t-elle fièrement. Il sourit d'un air de lui signifier qu'il a compris qu'elle se foutait de lui, et il sort de la chambre.

Dans le salon se trouvent une dizaine de personnes, certaines accroupies sur le sol, une assiette en carton de guingois sur un genou. L'ambiance est animée, les voix, les exclamations, les rires se télescopent, les discussions fusent en tous sens – mais Aurélien ne parvient à s'introduire dans aucune, aussi anodine soit-elle. Quant à Clotilde, elle ne cesse de s'affairer auprès de ses hôtes et n'a pas de temps à lui consacrer. Il s'ennuie de plus en plus, lorgnant sa montre et guettant des signes de fatigue chez tous ces fâcheux, dans l'espoir qu'ils vont bientôt lever le camp. Mais ils en sont loin, ils sont encore sur un autre fuseau horaire, et tout excités par leur virée argentine ; pour l'instant ils font tourner le plateau à fromages et le panier à pain qu'il a rempli.

Trois femmes, non loin de lui, bavardent au sujet des prénoms. Parmi elles se trouve la mère des jumeaux, que les deux autres complimentent sur sa trouvaille pour nommer sa fille et son fils. « Glamour ! C'est génial, fallait oser ! s'exclame l'une. — Et Saxo, c'est à la fois classe et rigolo ! » commente l'autre. Aurélien réprime un fou rire, ce n'était donc pas une blague, ces dénominations. Après tout, pourquoi pas, se ravise-t-il aussitôt, se souvenant que sa mère est affublée d'un nom de coléoptère, Biedronka, c'est-à-dire

Coccinelle. Le grand-père Szczyszczaj avait si copieusement arrosé sa joie d'être père que lorsqu'il s'était rendu à la mairie pour déclarer la naissance, sa mémoire embrumée lui avait joué un tour – impossible de retrouver le prénom destiné à l'enfant, il croyait juste se rappeler qu'il commençait par un B et comportait trois syllabes. Le fonctionnaire du bureau d'état civil avait essayé de l'aider en passant en revue divers prénoms féminins qui répondaient à ces deux indices, Barbara, Bozena, Balbina ?... mais l'autre grommelait non, ce n'est pas ça, pas ça du tout, alors les deux hommes avaient élargi le champ de leur investigation en incluant des prénoms à deux, puis à quatre syllabes, Beata, Berta... non non, trop court ; peut-être Bronislawa, Bogumila, Bernadeta, Boguslawa ?... trop long, décidément non et non. Soudain, Zbigniew Szczyszczaj s'était levé comme un beau diable de la chaise où il se tenait affalé, la renversant, et, pointant un doigt impérieux vers le registre des naissances ouvert sur le bureau, il avait clamé d'une voix de stentor : « Biedronka ! » Le fonctionnaire avait été saisi par tout ce vacarme et impressionné par la taille et l'allure imposantes du bonhomme dressé devant lui, comme si le fêtard éméché de tout à l'heure avait opéré une mue fulgurante, et, docile, il avait inscrit « Biedronka ». C'était un malentendu, Zbigniew Szczyszczaj n'avait crié ce mot que parce qu'il venait d'apercevoir une coccinelle en train d'entreprendre l'ascension du registre.

Le temps que l'employé de mairie finisse, de sa belle écriture appliquée, d'enregistrer le prénom saugrenu de la fille Szczyszczaj, la bestiole s'était mise à trottiner le long d'une ligne de la page, avec une grâce de funambule. La découvrant à son tour, le fonctionnaire s'était écrié d'étonnement, ou plutôt d'émerveillement, devant une si prodigieuse coïncidence : « Ça alors ! C'est un ange miniature, sûrement, accouru pour protéger votre petite fille ! » Et il s'était penché au ras de la page pour mieux admirer le coléoptère angélique, lequel, inquiété par la grande ombre s'abattant sur lui, avait déployé ses élytres et pris son envol. Hop, le père dessaoulé avait intercepté la fugitive avec une délicatesse que ses vigoureuses paluches ne laissaient pas deviner, et il l'avait apportée en trophée à sa femme pour la convaincre du bien-fondé de sa décision de nommer in extremis leur fille Biedronka. En vérité, ce n'était pas vraiment une décision de sa part, encore moins un caprice, avait-il expliqué à la jeune accouchée consternée de voir son enfant classé parmi les insectes, mais une sommation venue du ciel. La mère n'avait été que modérément convaincue, et elle avait toujours appelé sa fille ainsi qu'elle aurait dû l'être : Wanda. Il n'empêche, ce qui est écrit est écrit, et aux yeux de l'état civil, madame veuve Labas se prénomme définitivement Biedronka, née Szczyszczaj.

« Maintenant qu'on a la liberté de choisir et même d'inventer les prénoms qu'on veut pour ses enfants, il faut en profiter, poursuit la mère de Glamour et Saxo. Mes parents, moi, m'ont collé un prénom vieillot, que je n'ai jamais aimé, surtout le diminutif dont tout le monde m'affublait : Jojo ! Dès l'adolescence, je me suis inventé un pseudo moins ringard, Djola, et avec le temps, c'est devenu mon prénom usuel. — Tu t'appelles comment, à l'origine, lui demande sa voisine de droite, Josette, Josiane, Josée, Jocelyne… ? — Pas mieux, aussi moche, c'est Joëlle ! » avoue-t-elle en soupirant. « Oh, on fait pire… », minimise l'autre. Aurélien, désireux de défendre le prénom que porte son frère d'adoption, se permet d'intervenir dans la conversation et, se tournant vers le trio, il lance : « Mais Joël n'a rien de moche, la sonorité en est légère, fluide, et son sens ne manque pas d'allure, c'est une sacrée tautologie qui signifie… » Les trois femmes n'accordent aucune attention à ce qu'il raconte, comme s'il ne s'adressait pas à elles, elles poursuivent leur échange en riant, et les propos d'Aurélien se noient dans leurs rires. « C'est ça, raille-t-il à mi-voix, cause toujours, tu n'intéresses personne… »

La corbeille à pain échoue devant lui, vide. Il la ramasse et la garde un moment dans ses mains, elle est légère comme un oiseau mort. Cette comparaison qui vient de lui passer par l'esprit le déconcerte et le met mal à l'aise. Il se dépêche d'aller à la cuisine ; le couteau est couché en travers d'un plateau couvert de miettes, mais il n'y a plus la moindre baguette, ni boule ni ficelle à trancher. Il cherche dans les placards s'il y a des biscottes.

Plusieurs convives, guidés par Clotilde, déboulent en riant pour dresser la table des desserts. Ils l'improvisent en dépliant la planche à repasser qu'ils nappent d'un drap blanc, puis ils la couvrent d'une multitude de mignardises luisantes de gelée, de crème, de sucre : des mini-tartelettes, choux à la crème, babas au rhum, pets-de-nonne et millefeuilles, éclairs au chocolat et au café… Au milieu de cette mosaïque pâtissière, ils plantent deux bougeoirs. Sitôt les bougies allumées, ils soulèvent la table à repasser magnifiée en desserte et partent en procession en chantant sur l'air des lampions : « Heureux anniversaire, Tanguy, heureux anniversaire, Aziz ! » L'un des porteurs, passant devant Aurélien, lui pique la corbeille qu'il tient toujours à la main, et s'en coiffe comme d'un casque.

Il est presque minuit, les joyeux drilles sont toujours là, inéjectables bien que repus, voire un peu cuits. Ils ont éclusé pas mal de vin rouge, deux bouteilles de crémant et une de champagne, plutôt médiocre. Clotilde, à l'évidence, se plaît en leur encombrante compagnie car à présent elle leur propose café, thé, tisane exotique rapportée d'Argentine… Aurélien se sent très las, mais il ne peut pas aller se coucher, la chambre est toujours occupée par les marmots, et en plus elle sert de vestiaire. Il se rend dans la salle de bain pour se rafraîchir le visage. En se voyant dans la glace, il se trouve mauvaise mine, « un peu flou », comme dirait Thibaut, mais cela doit être dû à un dépôt de buée. Un doute lui vient cependant, tandis qu'il essuie le miroir qui n'est nullement embué – il n'a utilisé que de l'eau froide, aucune vapeur ne flotte dans la pièce. Alors c'est que le tain du miroir se fane, conclut-il, ou bien l'éclairage est déficient.

Il rentre dans le salon sous une salve d'applaudissements. L'illusion ne dure pas plus d'une seconde, les acclamations sont destinées à la maîtresse de maison. « Regardez ce que j'ai trouvé dans mon frigo ! annonce-t-elle gaiement. Une petite dernière, mais de grande classe ! — Ouah ! Du champ' ! Et du fameux ! » Le bouchon saute jusqu'au plafond, rebondit, tombe aux pieds d'Aurélien et va rouler sous un meuble. Tous les verres s'agglutinent autour de la bouteille en un tintement désaccordé qui redouble quand les buveurs trinquent les uns avec les autres. « À Clotilde ! À Tanguy et à Aziz ! À Djola, à son Saxo et sa Glamour ! À l'Argentine et à notre retour ! À nous tous ! » Chacun savoure avec délice la petite quantité de champagne reçue en partage. Les compliments affluent. « Bravo, dit l'un, tu as gardé le meilleur pour la fin ! — Et à température parfaite ! — Une soirée formidable ! »

Enfin un couple donne le signal du départ, et l'ensemble de la troupe se met en branle. Clotilde et Djola vont chercher les manteaux avec mille précautions pour ne pas réveiller les enfants. Elles reviennent les bras chargés de vêtements, et Djola, qui a raflé les renoncules dispersées, les distribue aux partants. Puis elle referme la porte, s'étire en bâillant bruyamment et va à la salle de bain. Aurélien rejoint Clotilde en train de faire du rangement dans le salon. « Tiens, tu es là, toi ! lui dit-elle d'un ton étonné. — Mais enfin, Clotilde, qu'est-ce qui se passe ? Qu'est-ce que tu… — Djola est crevée, elle va dormir ici, avec ses enfants. Je lui laisse mon lit. Moi je dormirai sur le canapé du salon. — Ah oui, et moi, où ? Dans la douche, sur la table à repasser, dans le frigo, pourquoi pas dans la poubelle pendant que tu y es ! — Tu m'aides à ouvrir le canapé, s'il te plaît ? — Dis, demain, nous passons la journée ensemble, hein, comme prévu ? Nous pourrions aller à Fontainebleau, nous balader en forêt. J'ai envie de grand air, tellement envie de… — De l'air, bonne idée. Cette pièce en a bien besoin, ouvre donc un peu la fenêtre. — Clotilde, est-ce que tu m'écoutes quand je te parles ? Tu ne réponds à aucune de mes questions et tu ne cesses de t'esquiver. Qu'est-ce qui t'arrive ? — J'ai eu aujourd'hui un grand coup de cafard, je ne sais pas pourquoi… Comme si… comme si j'étais en perte de vitesse, que tout m'échappait… c'est sûrement la fatigue du voyage. Mais cette soirée m'a requinquée. Elle était agréable, non ? Bon, je vais chercher la literie. » Et elle s'éclipse, pour ne revenir qu'un long moment plus tard, une couette et un unique oreiller dans les bras. « Il t'a fallu tout ce temps pour rapporter si peu de choses ? dit-il, à bout de patience. — J'ai aidé Djola à donner le biberon aux jumeaux, elle s'est occupée de Saxo, moi de Glamour. Hou, je suis épuisée ! » Elle se couche et s'endort aussitôt.

Lui aussi est éreinté, mais d'incompréhension et de colère rentrée. Jamais il n'a vu Clotilde se comporter avec cette désinvolture, avec, même, une négligence qui frise le mépris. Hubert, hier, Maxence, à midi, puis ce soir elle et sa tribu de copains, tous ont fait preuve de goujaterie à son égard. Mais qu'a-t-elle voulu dire en s'avouant en perte de vitesse, et que tout lui échappait, comme si une peur confuse s'était emparée d'elle ? Quelle peur, de quoi ? Ne sont-ils pas ensemble, et solidement ensemble ? Alors ? Il se déshabille dans l'obscurité, s'empare d'un coussin en guise d'oreiller, et s'allonge contre la dormeuse.

Au contact du corps de Clotilde, de sa chaleur, sa mauvaise humeur fond rapidement. Il se serre contre elle, respire l'odeur de ses cheveux, et il lui murmure à l'oreille tout ce qu'il n'a pu lui dire durant la soirée. Il lui raconte comment un drôle de chagrin l'a saisi à son réveil et lanciné tout le jour, lui aussi – tu vois, nous sommes pareils, sujets à un coup de spleen sans rime ni raison. Puis il lui parle de neige, de lumière, de vent, et de sable, de pierres, de mer, de forêts... Ils iront marcher, tous les deux, dans les dunes et sur les grèves, dans la lumière vive et les cris des oiseaux des hauteurs ou du large, dans l'ombre odorante des sous-bois et le chant des oiseaux invisibles. Il lui parle aussi du chapeau cloche coquelicot où le soleil jouait à faire frémir un papillon aux ailes diaphanes ornées d'ocelles roses, et comment ce papillon solaire s'était posé à hauteur de l'oreille. Et il enchaîne sur son désir d'enfant, d'un enfant d'elle. Ils pourraient l'appeler Papillon, Bombyx, Phalène, Xanthie, Noctuelle ou Machaon... Tiens, comment dit-on papillon en polonais ? Il faudra qu'il demande à sa mère.

Oui, ils vont aller respirer l'espace, tous les deux. Tous les trois, bientôt, avec l'enfant, si elle le veut. Le veut-elle ? Le veux-tu, dis, mon amour, ma diurne, ma nocturne ? Il la caresse, de ses mots, de ses doigts, de son souffle, et il se blottit contre elle toujours plus étroitement. Il s'endort au fil de son chuchotement amoureux, fourbu mais consolé, le visage enfoui dans le cou de Clotilde, les membres enlacés aux siens.

MERCREDI

Lorsqu'il passe la nuit auprès de Clotilde, son sommeil se fait plus paisible, il en émerge en douceur. Il aime cette lente remontée vers la conscience, vers le désir, dans la tiédeur des draps où leurs deux corps ont mêlé leurs odeurs. Elle et lui ont alors plaisir à s'attarder dans le lit légèrement chamboulé, et les gestes, les caresses, les baisers qu'ils échangent ont une saveur particulière, comme s'ils se touchaient à fleur de rêve, de brume, dans un état de candeur confuse et de délicieuse paresse. Mais ce matin, rien de tel, Clotilde se lève sans lézarder, sans l'embrasser, sans même se tourner vers lui. Hop, la voilà debout, elle s'ébroue, s'étire, et quitte la pièce d'un pas vif. Ce départ abrupt le réveille d'un coup et le laisse désemparé. Il a froid, soudain, il s'enfouit sous les draps et se replie sur lui-même, les bras serrés autour du torse, les yeux grands ouverts dans l'obscurité de son antre de toile. Il ne pense pas, aucun mot ne lui vient à l'esprit, seul résonne le bruit heurté de son cœur, sourdement. Un quatuor de voix chantonnantes et de petits cris encolérés le tire enfin de son état d'idiotie ; il se détend, et se lève à son tour. Clotilde a dû se hâter à cause de son hôte importune et des jumeaux qui réclament leur becquée.

Il va à la salle de bain. En passant devant la chambre, il aperçoit les deux femmes assises sur le bord du lit, chacune munie d'un biberon, un enfant calé au creux d'un coude. Elles parlent à la fois entre elles et aux nourrissons ; l'un est vêtu d'une grenouillère tomate, l'autre mandarine. Il se demande lequel est Glamour, lequel est Saxo. Les deux tètent et gigotent avec une égale vigueur. Il reste un moment dans l'embrasure de la porte, à les regarder, amusé. Clotilde et Djola, absorbées par leur tâche, ne remarquent pas sa présence.

Comme la veille, il prend une douche alternée, eau très chaude puis glacée, et il se frotte énergiquement avec une serviette. Lorsqu'il veut se raser, il ne trouve pas le rasoir, ni le blaireau ni le spray de mousse qu'il laisse en permanence sur la tablette au-dessus du lavabo. Il cherche partout, dans le placard, dans les tiroirs de la commode, jusque dans la trousse à maquillage de Clotilde, mais rien. Sa brosse à dents et sa lotion après-rasage ont également disparu. La serviette éponge entortillée autour de la taille, torse et jambes nus, il sort pour demander à Clotilde où elle a bien pu ranger ses affaires. Elle est dans la cuisine, en train de boire un café en compagnie de Djola. Elle parle d'une voix un peu triste, hésitante, l'autre l'écoute d'un air préoccupé. Aurélien doit répéter trois fois sa question avant que Clotilde ne réagisse. « Quelles affaires ? — Ben, de toilette, évidemment ! Elles sont toutes introuvables. — Ah ? fait-elle avec l'expression de quelqu'un qui ne comprend rien à ce qu'on lui raconte. Je n'ai touché à rien, pourtant. Je ne sais pas. — Mais enfin, les choses ne disparaissent pas comme ça ! J'ai besoin de me raser, moi ! — C'est vrai, cette ombre de barbe naissante te brouille le visage… tu sembles tout flou… — Ah non, tu ne vas pas t'y mettre, toi aussi ! » Et il repart, furieux.

Il se remet à fouiller dans tous les coins de la salle de bain, en vain, et il finit par dénicher un vieux rasoir jetable au fond d'un tiroir. Il le manie si maladroitement qu'il se blesse à deux reprises. Non seulement il est mal rasé, mais en prime il a une écorchure au menton et une mince estafilade à la joue droite. « Au moins, ça servira de lumignon pour dissiper mon prétendu "flou" ! » se dit-il face à la glace qui lui renvoie un reflet assez piteux.

Lorsqu'il retourne à la cuisine pour prendre son petit déjeuner, elle est déserte, la table est débarrassée, les tasses et la cafetière lavées, posées dans l'égouttoir.

La poubelle déborde d'assiettes en carton et de gobelets en plastique. Il appelle, pas de réponse. Il inspecte l'appartement, personne. Les deux femmes et les enfants sont partis. Il pense que Clotilde est sortie faire un tour avec son amie, ou peut-être qu'elle l'a raccompagnée chez elle. Il se prépare un café, se contente de grignoter une pomme, puis il va dans le salon, referme le canapé et s'y installe avec un livre pris au hasard dans la bibliothèque. C'est un recueil de nouvelles, le genre littéraire préféré de Clotilde. Le dernier récit, « Quelqu'un de ce temps-là », donne son titre à l'ensemble. Mais Aurélien jette son dévolu sur l'avant-dernière nouvelle intitulée « La bille de glace ». Il commence à la lire distraitement, puis, vite, il se laisse prendre au jeu de la lecture. En une poignée de pages, l'auteur raconte, d'un ton sobre, la dégradation progressive d'une jeune fille aux beaux yeux noirs, Irène, vive comme « la Chèvre de Monsieur Seguin », en femme obèse et apathique dont l'unique occupation, la passion forcenée même, est l'entretien d'un congélateur géant, très sophistiqué, qu'elle a fait aménager dans son arrière-cuisine. Cette chambre froide devient son royaume, sa caverne d'Ali Baba regorgeant de plats qu'elle ne cesse de préparer, de mitonner, puis d'emballer et d'étiqueter, et qu'elle ne se lasse pas d'admirer, bien classés sur les rayons et les clayettes. « Les rayons se garnissaient à vue d'œil. Elle avait l'impression de régner sur un empire. Bientôt, elle pourrait soutenir un siège. Elle avait asservi tous les produits de la nature, ou presque. Ils étaient enfermés dans sa resserre, prisonniers du froid, engourdis dans un sommeil semblable à celui de la Belle au bois dormant. Elle seule avait le pouvoir de les réveiller. » Mais ce pouvoir se révèle très douteux, il se retourne contre elle, car « ce n'était pas par un baiser, comme le Prince Charmant », qu'elle pouvait raviver toutes ces nourritures congelées, mais en les consommant. Et la voilà prise dans un cercle vicieux tragiquement ridicule : « Ce n'était plus elle qui avait faim, c'était son congélateur » qu'il lui fallait remplir, gaver sans relâche, et elle aussi, en fin de chaîne. « Elle s'était donné un tyran que, par moments, elle haïssait de toutes ses forces. (…) Elle se voyait comme une galérienne enchaînée à son banc de rameur. Oui, elle haïssait ce congélateur dont elle était devenue l'esclave et qui exigeait qu'on le nourrît, jour après jour. Mais elle n'osait pas tout arrêter. »

Un été, alors qu'elle est attelée à l'une de ses sempiternelles besognes gastronomiques tandis que ses enfants sont partis en vacances avec des amis, et « son mari sans doute avec une autre femme », sa solitude la saisit à la gorge, et elle éclate en sanglots. « Elle pleura tellement qu'elle dut interrompre ses préparatifs culinaires et la béchamel fut gâchée. Comme ma vie, pensa-t-elle. »

Une crise de larmes brusque ainsi qu'une giboulée, qui se déverse dans le bol qu'elle avait sorti sur sa table de travail pour y casser des œufs. « Cette petite flaque, au fond, c'étaient ses pleurs. Elle en fut bouleversée, pleine de pitié pour elle-même. Elle prit le bol dans ses mains, le contempla longuement. Le liquide tremblait un peu. Une nouvelle larme coula le long de son nez, tomba. Elle découpa un morceau de papier adhésif transparent et elle en recouvrit le bol. Puis elle alla le placer dans le congélateur. » Le froid ne tarde pas à accomplir son œuvre de durcissement, de purification. « Le contenu du bol s'était transformé en glace. On aurait dit une petite bille. Ce n'était rien, quelques gouttes d'eau salée, mais à l'échelle de son chagrin, la mer, la banquise. Elle recommença à pleurer. » Désormais, les visites journalières que rend Irène à sa souveraine chambre froide ont pour but la contemplation émue de ses larmes concentrées en une « petite bille de glace, éternellement intacte », comme restent entière sa détresse, béante sa solitude, et néante sa vie d'esclave volontaire. Aurélien referme le livre et regarde le nom de l'auteur capable, l'air de rien, de vous poindre le cœur et vous enrhumer l'âme avec une histoire toute simple, un personnage banal et néanmoins pathétique dans sa médiocrité sublimée par un très gros grain de folie. Roger Grenier.

Le prénom Irène lui trotte dans la tête, ranimant un souvenir lointain. Celui de son premier amour. C'était à l'école maternelle. Il avait éprouvé un coup de foudre pour une fillette nommée Irène, « maigre et ardente » comme l'héroïne de « La bille de glace » dans sa jeunesse. Ils étaient inséparables, en classe, dans la cour, en dehors de l'école aussi bien. Plus tard, ils se marieraient ensemble, c'était sûr. Leurs fiançailles enfantines avaient duré moins d'une année, les parents de sa bien-aimée ayant déménagé. Cette séparation l'avait boule-versé, et révolté, mais son chagrin avait fini par se dissoudre au fil du temps. Il se demande ce qu'est devenue cette petite Irène, une obèse dépressive à l'instar de son homonyme, ou est-elle restée légère et fougueuse ? Et lui-même, quel enfant avait-il donc été ? Irène se souvient-elle encore de lui ?…

Il sursaute, piqué par un court-circuit de pen-sées. Il consulte sa montre, il est presque midi. Il balance le livre sur le canapé, se lève et compose le numéro du portable de Clotilde. Il est si nerveux qu'il se trompe et doit recommencer. Il n'a pas plus tôt réussi à aligner correctement les chiffres sur son appareil que retentit un cri strident tout près de lui. Il sursaute à nouveau, de surprise cette fois. Le cri se module, aigu et pénétrant. C'est celui du martinet noir, cette merveille d'oiseau aux ailes effilées, au vol d'une prodigieuse vélocité, capable d'effectuer des piqués et des virages fulgurants, et qui jamais ne se pose, dormant dans les hauteurs, porté par les courants atmosphériques. Mais en cette extrême fin d'hiver, les martinets ne sont pas encore de retour. La mélopée continue quelques secondes, têtue et éclatante, puis se tait d'un coup. Aurélien recompose le numéro, le martinet relance son cri perçant.

Le téléphone qu'il est en train d'appeler gît sur le sol près du canapé, où Clotilde l'a oublié. Il le fixe d'un air consterné, comme s'il s'agissait pré-cisément d'un passereau mort, chu sur le dos. Il s'en approche, s'agenouille à côté, et une dernière fois il égrène le numéro. Le martinet, docile jusque dans son naufrage, réentonne son refrain. Aurélien attend que le répondeur se déclenche, que la voix de synthèse finisse de débiter son avertissement, et il laisse un message : « Tu as oublié ton portable, comme tu m'as oublié chez toi. Je crains que seul le premier t'ait manqué. Ce n'est plus de la distraction dont tu fais montre à mon égard, mais d'un je-m'enfoutisme ahurissant. J'ai mal. Tu me fais mal. Pourquoi ? Je ne comprends pas. » Et après une seconde de silence, il ajoute : « Je t'aime. Reviens, vite. » Sa voix est aussi monocorde que celle du répondeur, mais plus sourde. Tellement assourdie, même, qu'elle est presque inaudible.

Le temps s'est beaucoup rafraîchi, et il vente, l'avant-goût de printemps qui flottait dans l'air ces derniers jours s'est perdu, l'hiver n'a pas dit son dernier mot. Aurélien a froid, sans pull sous son blouson, sans écharpe. Il marche à pas rapides, pour se réchauffer, car pressé, il ne l'est nullement. Il va sans but précis, il déambule en rasant les murs. Cette précaution ne le dispense cependant pas de quelques heurts désagréables avec des passants.

« Je suis seule ! Je suis seule !... », hoquette la grosse Irène tout en touillant sa béchamel, dans la nouvelle qu'il vient de lire. Aurélien ressent la même détresse, le même vide, mais il n'éclate pas en sanglots. Il avance, la tête basse, le col de son blouson relevé à hauteur des oreilles, les poings enfoncés au fond des poches. Au creux de sa main droite, il serre son téléphone. Il attend qu'il sonne. Clotilde va bien finir par rentrer chez elle, par retrouver son portable, elle écoutera ses messages, donc celui qu'il lui a laissé, et alors elle le rappellera. Sa vie en cet instant est comme ligotée autour de ce petit rectangle en plastique dur, guère plus lourd qu'un passereau ; sa vie, sa joie, et son honneur aussi – car s'il est profondément meurtri dans son amour, dans sa confiance, il l'est tout autant dans sa fierté. Depuis hier, Clotilde le traite de façon indigne, et lâche. Oui, lâche, conclut-il, car elle n'a cessé d'éviter tout face-à-face avec lui en s'entourant d'un flot de gens bavards, puis de se dérober à son désir en prétextant la fatigue, et enfin elle a déguerpi en douce pendant qu'il achevait sa toilette. Elle n'a répondu à aucune des questions qu'il lui a posées, lui accordant d'ailleurs à peine le temps de les formuler.

Serait-elle amoureuse d'un autre homme, sans avoir le courage de le lui avouer ? A-t-elle cédé au charme de l'un de ses collègues, pendant ce dernier voyage ? Il n'y a rien qu'il déteste plus que le mensonge et la duplicité, rien qui l'écœure plus que la pleutrerie et l'indécision. Il aime qu'un oui soit consistant, et un non résolu. Mais il sait bien que Clotilde est dénuée de toute fausseté, alors ? Et puis, la dernière fois qu'ils étaient ensemble, il y a quelques jours de cela, quand il l'a quittée à l'aéroport où il l'avait accompagnée, elle était comme à l'accoutumée, enjouée, tendre, amoureuse. Et c'est elle, la première, qui a évoqué un désir d'enfant. Les sentiments peuvent-ils basculer si subitement, radicalement, sans raison apparente ?

Il se met à bruiner. En plus du froid et du vent, c'en est trop. Aurélien entre dans le premier bistrot qu'il trouve. Il s'accoude au comptoir et demande un demi. Après dix minutes d'attente et trois rappels infructueux, il finit par s'emparer, avec grand naturel, d'une chope que le serveur, de l'autre côté du zinc, vient de poser sur un plateau déjà garni d'autres boissons. Les clients qui ont passé cette commande sont arrivés après lui, aussi Aurélien estime qu'il est en droit de se servir au passage. Le serveur ne semble pas s'apercevoir de la manœuvre, pourtant non dissimulée, et il part avec son lourd plateau. Il revient vite remplir une nouvelle chope pour le client bredouille. « Si ça continue, se dit Aurélien, je vais me servir moi-même, maintenant, dans les cafés. C'est plus efficace. »

Il a posé son portable sur le comptoir, tout en sirotant sa bière, il le lorgne. Soudain il se fait une remarque : son téléphone n'a pas sonné depuis dimanche, le dernier appel était celui de la gamine voulant parler à une copine nommée Magali. Personne ne l'aurait appelé pendant plus de deux jours, pas même sa mère ? Ce n'est pas possible. La sonnerie doit être en panne. Cette idée le soulage. Pour la conforter, il descend au sous-sol du bistrot, en quête d'un appareil public. Il en trouve un près des toilettes, qui fonctionne avec des pièces. Il place son portable devant lui, en équilibre douteux sur un vieil annuaire accroché au mur par un cordon, il veut l'avoir à l'œil autant qu'à l'ouïe. Il compose avec application son propre numéro et, le cœur battant, il attend – il attend une preuve du mutisme de son engin défectueux. Son espoir est aussitôt déçu, la mélodie familière se lève, guillerette, elle emplit l'espace où flotte une odeur d'urine, d'eau de Javel, et des relents de colique. C'est l'air du film *Le Troisième Homme*. La phrase musicale du « Harry Lime Theme » tourne en boucle, cinq fois, puis s'arrête net. « Il est temps que je change de musique, décide Aurélien en réenfouissant son portable dans sa poche, je ne supporte plus cette rengaine, et puis je n'aime pas la cithare ! Ni les martinets. » Tout en laissant ces réflexions idiotes lui traverser l'esprit, il est conscient d'être ridicule, pathétique, même. Pour un peu il se prendrait en pitié, mais ce n'est pas son genre, ou alors en grippe, mais c'est de l'énergie perdue. Il se contente de remonter l'escalier en colimaçon. Des frissons glacés lui parcourent le dos, et ses tempes lui brûlent.

Les martinets. Un soir, l'été dernier, dans un village de Charente où Clotilde et lui étaient allés passer quelques jours de vacances, une formidable criaillerie les avait surpris, alors qu'ils buvaient un verre de vin blanc dans le jardin de l'hôtel. Ils avaient vu une nuée de fins oiseaux noirs surgir sans crier gare d'un coin du ciel, s'abattre obliquement comme une pluie de météorites prêts à se pulvériser contre le sol, mais changer de cap à l'instant ultime pour s'élancer à toute allure par-dessus les toits. Aussi bref ait été leur passage devant le mur de pierres blanches de la maison située au fond du jardin, ils avaient éclaboussé ce mur de leurs ombres, comme d'une volée de signes musicaux. La partition, en vrac, de leur tumulte. Et cette constellation de notes crochées sur le mur rose-orangé par le crépuscule ne s'était pas effacée immédiatement avec la fuite des oiseaux en chasse qui filaient bec grand ouvert pour mieux gober tous les insectes vibrionnant dans l'air, elle avait semblé s'attarder un instant. Les martinets étaient revenus plusieurs fois à l'assaut, avec une hâte et une ardeur égales, ils décrivaient d'amples ovales autour de la maison et des arbres alentour, semant à tout-va leurs cris acides et leurs ombres grêles, renouvelant la partition. Quand le soir était tout à fait tombé, les martinets s'étaient retirés dans leurs demeures errantes en altitude, des pipistrelles avaient pris leur relais. L'une, attirée par la lumière du photophore allumé sur la table du jardin, ou plus exactement par les bestioles grouillant autour, était venue exécuter des piqués en rafales autour d'eux ; on aurait dit une aiguille d'acier occupée à recoudre avec frénésie et force stridences les lambeaux de clarté trouant l'obscurité. Clotilde et lui n'avaient pas bougé, admiratifs de l'agilité du minuscule oiseau.

La cithare d'Anton Karas et les martinets – ils ont prélude à tant d'échanges, brefs ou longs, entre eux deux, à tant de bribes amoureuses. Ce dialogue aurait-il pris fin ? Aurélien n'y tient plus, il extirpe son portable de sa poche, vérifie qu'il est bien en marche, consulte ses messages. Aucun, ni écrit ni sonore. Un appareil peut-il devenir fourbe, malveillant, faire semblant de fonctionner pour mieux masquer sa malignité ? Il hésite, mais son anxiété l'emporte sur son orgueil blessé, il appelle. Clotilde est rentrée, elle est là, en vie, elle décroche ! Il en bégaie d'émotion. Mais la discussion tourne court, en fait elle ne s'enclenche même pas, le son est brouillé, les voix inaudibles.

Une voix. Au moins entendre une voix aimée, et aimante. Il téléphone à sa mère. « Allô, Maman ! — Qui est à l'appareil ? — C'est moi, tiens ! — Moi qui ? — Mais enfin, tu ne reconnais plus ton fils, maintenant ? — Ah… Heu, si si, bien sûr. — Dis donc, tu n'es pas très réveillée, aujourd'hui ! Tu dormais, peut-être ? — Pas du tout, je ne fais jamais de sieste. — Tout va bien ? — Oui. — Et Joël ? — Toujours pareil. — Au fait, comment dit-on papillon en polonais ? — Motyl. — Bon, je passe vous voir demain, comme prévu ? J'espère que tu seras plus loquace ! — Oui, à demain. » Cette conversation minimale n'a rien de stimulant, mais sa mère est une personne assez lunatique, il a dû tomber à un de ces moments où elle s'égare dans ses rêveries. Du côté de son Atlantide, peut-être. Quand même, qu'elle lui ait demandé « moi qui ? » – il hausse les épaules et en rit presque.

Près de la bouche de métro où il s'apprête à descendre, se tient un marchand de marrons. Il n'a pas faim du tout, mais l'odeur des châtaignes grillées réveille en lui un de ses plus agréables souvenirs d'enfance, quand Balthazar venait le chercher à la sortie de l'école, certains soirs d'hiver, et qu'il lui achetait un cornet de marrons sur le chemin du retour. Ils s'arrêtaient toujours au même endroit, à mi-parcours, à l'angle de deux rues. Le marchand était un homme sans âge, aux yeux d'un bleu de fleur fanée, portant d'épaisses moustaches roussies par le tabac. Ses doigts aussi étaient roussis, brunis plutôt, comme s'ils avaient pris la couleur des châtaignes qu'il rôtissait sur son brasero. L'index et le majeur de la main gauche étaient mutilés, coupés au niveau de la première phalange. Cette amputation angoissait Aurélien, persuadé que le camelot avait perdu ses bouts de doigts dans le feu, en tisonnant les braises, et il admirait aussi cet homme dont la main incomplète restait très active, il roulait avec adresse des feuilles de papier journal en forme de cônes pour les remplir de marrons.

Il roulait aussi ses cigarettes avec une étonnante dextérité, et les « r » quand il parlait. Il s'appelait Gaston. Balthazar l'aimait bien, il bavardait toujours quelques minutes avec lui, le temps de fumer une cigarette en sa compagnie. Aurélien a envie de ressusciter un instant ce rituel, et il essaie d'engager la conversation avec le jeune homme qui lui tend un sachet plein de marrons fumants. Mais le garçon ne comprend et ne parle qu'à peine le français, il se borne à lui sourire d'un air à la fois embarrassé et méfiant. Aurélien n'insiste pas, il descend les marches du métro.

Il ne prend pas le premier train qui arrive, il s'assied sur un banc pour manger ses châtaignes. Un banc absurde, inconfortable, divisé par des arceaux métalliques – afin que les clochards ne puissent pas s'y allonger pour dormir. Un banc mesquin, un chasse-misère.

À la troisième rame, Aurélien se lève enfin, il jette dans une poubelle le sachet qui ne contient plus que des écorces racornies. C'est une heure d'affluence, les wagons sont bondés, mais il en repère un beaucoup moins envahi que les autres et se dirige vers lui. Il aurait dû se méfier, ce petit luxe de place apparent ne pouvait qu'être louche. Dès qu'il ouvre la porte, il reçoit en plein nez une violente baffe olfactive. D'autres passagers qui s'apprêtaient à monter avec lui dans ce wagon font un bond en arrière et s'empressent de gagner un

110

compartiment voisin. Mais lui, comme assommé par ce coup de pestilence, n'a pas l'idée de fuir. Il entre, les portes se referment, l'odeur le happe. À l'autre extrémité du wagon quelques personnes sont regroupées, le dos tourné, certaines malgré tout lancent par moments un regard mi-interloqué mi-mauvais dans la direction de la puanteur, tout en se bouchant le nez.

Aurélien se tient figé au milieu de l'espace empuanti. Un individu est assis sur un strapontin, dans le coin. Il est moins assis qu'effondré sur le siège, la tête basculée contre la vitre, les épaules tombantes, les bras ballants et les jambes écartées. Ses pieds sont nus dans des chaussures informes, la peau des chevilles est violacée, couverte de plaies noirâtres, les vêtements qui engoncent le corps disloqué luisent de graisse, de coulées de boissons et de nourritures, et de diverses humeurs suintées du corps ou plus brutalement versées par lui. Tout est mélangé, fondu, confondu – odeurs de vie et de mort en combat silencieux, odeur d'un vivant en voie de nécrose, de décomposition. La tête chue de côté est hirsute, les cheveux et la barbe sont des étoupes saturées de crasse. Le visage est boursouflé, d'un rouge sombre, plombé.

Un filet de regard perce la chair semblable à du carton bouilli, il est d'un vert d'eau si clair qu'il paraît transparent, mais il est fixe, et d'une dureté de roche, de lame plutôt. Un regard fou, qui voit sans voir, qui ne va plus de l'intérieur vers l'extérieur car n'allant plus nulle part, cloué dans les orbites, comme les yeux en os de requin incrustés de corail ou d'obsidienne des grandes statues de l'île de Pâques.

L'homme qui pue a des yeux de moaï, à iris de jade pâle et pupilles calcinées qui ne réfractent aucune lumière. La lumière, les images, le visible, ces yeux-là les avalent en bloc, ils les brûlent et les dissolvent aussitôt, les réduisent à néant. Il n'y a plus de place, plus de force dans ce corps ravagé pour accueillir de nouvelles perceptions, pour supporter la moindre émotion ; l'homme a mué en un animal improbable, en un loup-épouvantail en rupture de meute, de gîte, de faim, de temps. Sa puanteur tient les autres à distance, ses yeux en éclats de silex assignent le monde à indifférence, à glaciation perpétuelle ; l'assignent à haine, à rien. Aurélien, suffoqué par les remugles de putréfaction auxquels l'odorat ne peut pas s'habituer, pas se résigner, ne cherche cependant pas à décamper, un saisissement aussi obscur que puissant le retient là. Là, devant ce tas de barbaque empaquetée de hardes méphitiques qui fut un enfant, un fils, un frère au sein d'une famille, un camarade au sein d'un groupe, un ami, un amant, un mari peut-être, un père. Qui fut un homme, et qui le reste, infimement, envers et contre tout, à bout de souffle, délabré jusqu'aux nerfs, aux os, détrempé jusqu'à l'âme. Combien de regards mortifiants se sont-ils succédé, ou ligués contre cet homme, pour le réduire à cet état d'épave ? Il se peut qu'un seul ait suffi. Et de meurtri, de répudié, l'exclu s'est retourné à son tour en dégoûtant radical, en excommunicateur de toute humanité, chez les autres autant qu'en lui-même. Aurélien amorce un pas vers lui, un second, il s'approche encore, s'assied sur le strapontin à côté, mais il est obligé de s'y placer en biais à cause de la posture vautrée de l'autre. Il est dans l'étau de la puanteur, au bord d'un gouffre. Il ne bouge pas, ne dit rien. Il attend.

Il ne sait pas ce qu'il attend. Il se contente d'être là, coude à coude avec l'homme putoisé indifférent à sa présence. Chaque fois que le train s'arrête et que des passagers ouvrent la porte, la même scène se répète, les gens poussent un grognement et filent chercher une place ailleurs. Et lui, Aurélien, le bel homme en blouson de cuir, au teint de miel foncé, le voit-on ? Ils forment un drôle de couple, le nau-fragé et lui. Mais lequel déteint sur l'autre ?

Aurélien se tourne vers son voisin, pose une main sur son épaule. Il voudrait lui parler, mais ne trouve aucun mot qui ne sonne pas faux. Que pourrait-il lui dire, sinon : « Je suis là. Tu es là. Toi comme moi, en vie, encore » ? Au bout d'un moment, l'autre s'ébroue un peu de sa torpeur, il relève imperceptiblement la tête et vient plan-ter son regard vert tilleul droit dans celui de cet intrus sorti il ne sait d'où. La couleur de ses iris est troublante tant elle est tendre, soyeuse, et lim-pide ; deux gouttes d'eau sur un duvet de mousse. Cette clarté est accentuée par la rougeur de la cornée, cette douceur rehaussée par les trous noirs des pupilles dilatées. Leur brillance est celle que donne la fièvre, ou l'ivresse, ou encore un songe porté à incandescence. Aurélien soutient ce regard qui le brûle, l'incise, comme il supporte l'infection. C'est sa façon de lui dire qu'ils sont là, tous les deux, si proches, malgré tout, dans l'immensité de leur différence. Il esquisse un sourire. L'autre se met à grimacer une expression indéfinie qui peut être de sympathie autant que de colère, de soulagement autant que de douleur. Il se lève en prenant appui contre la vitre, se détourne et se dirige vers la porte. Il descend à la station suivante, s'éloigne le long du quai d'un pas chancelant.

La puanteur persiste longtemps après son départ, et surtout, elle s'est comme incrustée dans les narines d'Aurélien qui ne parvient pas à la chasser, même en remontant dans la rue, en marchant en plein air. Il a beau se moucher à plusieurs reprises, respirer puis souffler à fond, rien n'y fait, l'odeur lui colle à la peau. « À défaut de retenir les parfums, finit-il par ironiser, ma peau fait de l'excellente rétention des odeurs putrides. »

JEUDI

Il se réveille tard, avec la gueule de bois. À croire que les miasmes exhalés à haute intensité par l'homme du métro l'ont intoxiqué, malgré la longue douche qu'il a prise hier soir en rentrant. Une odeur de désastre rôde en lui, non pas sur sa peau, mais dessous, dans la chair ; elle lui lèche le cœur. Il va directement dans la salle de bain prendre une nouvelle douche. La sensation de nausée continue à le lanciner. Il a fourré tous ses vêtements de la veille dans la machine à laver. Aujourd'hui, il s'habille plus chaudement, il enfile un chandail prune à col en V par-dessus une chemise jaune pâle à fines rayures blanches et orangées, et sort de son placard une veste de toile huilée doublée de mouton.

Il fait infuser un thé noir, y verse du jus de citron, et croque plusieurs cornichons, comptant sur l'acidité pour dissiper ce mal de cœur, mais rien n'y fait. « Merde ! » dit-il en s'apercevant que la cloque apparue au plafond l'autre jour a triplé de volume, elle grumelle comme une peau de lait tourné. Il doit y avoir une fuite dans l'appartement du dessus.

Il emballe l'appareil à diapositives destiné à Joël, le range dans un sac, avec deux livres qu'il avait empruntés à sa mère. Son téléphone n'a toujours pas sonné ; mais Aurélien tient bon, il n'appellera pas Clotilde. Enfin, pas tout de suite. Il glisse le portable mutique dans la poche de sa canadienne, monte à l'étage supérieur, sonne puis tambourine à la porte, mais les occupants doivent être sortis, personne ne répond. Il entend la sonnette et les coups résonner dans le vide savamment installé par les e.locataires.

Dans le hall de son immeuble, il croise son voisin de palier, monsieur Daliloc, qui rentre de sa promenade matinale avec Monarque, un épagneul de fort belle allure. Un jour où monsieur Daliloc avait dû être hospitalisé en urgence, Aurélien s'était proposé pour s'occuper du chien, et il l'avait gardé chez lui plus d'une semaine. Cette cohabitation avait créé une amitié entre l'animal, qu'il s'amusait à surnommer Momo pour tempérer son orgueil canin, et lui. Depuis, Monarque alias Momo lui fait la fête dès qu'ils se rencontrent, comme Iota, le griffon de sa mère. Les chiens ont longtemps fait partie de sa vie, toute son enfance et son adolescence, Joël aimant leur compagnie. Tous avaient porté un nom de deux syllabes qui commençait par le son « i » ou « ye », ainsi y avait-il eu Igloo, Yoga, Hiatus, Ionique, Iode et Yoyo, et à présent Iota. Ce choix était dicté par un défaut de langage de Joël qui ne savait prononcer les mots, quels qu'ils soient, qu'en s'appuyant sur ces sons mouillés. Même « Papa » devenait dans sa bouche « Yipap », et « Aurélien », « Yélien » ou « Yilien ». Cette déficience de prononciation, estampillée iotacisme, est allée croissant, et en se complexifiant, à présent Joël étire longuement les « yi » et « yo » et « ye » devant chaque mot qu'il profère à grand-peine.

Monsieur Daliloc passe sans le saluer, et, plus bizarre, Monarque aussi l'ignore. Aurélien va à leur rencontre, il tend la main à son voisin distrait qui roule des yeux ronds, puis répond à son geste avec une certaine mollesse. Quant à Momo, aucune réaction. « Monarque est malade ? » s'inquiète Aurélien en se penchant vers l'animal pour lui toucher la truffe. Le chien éternue, flaire vaguement autour de lui, et reprend son air absent. « Eh bien, Momo, tu as chopé un rhume ? » lui murmure-t-il à l'oreille. Le chien répond par un ample bâillement, et, tirant son maître, il se dirige vers l'ascenseur. C'est l'heure de ses croquettes, il n'a pas de temps à perdre en amabilités.

« Et pour Clotilde, c'est l'heure de quoi, hein ? » se demande Aurélien dans la foulée. Du coup, il dégaine son téléphone et l'appelle séance tenante. Comme la veille, la ligne est brouillée, crachouillante, la communication impossible à établir. Il y a des jours, franchement, où il soupçonne les choses d'être clouées de malignité. Sa penderie, son ordinateur, son téléphone… Voilà une autre locataire qui fait son apparition dans le hall, c'est madame Dubois, sa voisine du dessous, venue récolter son courrier, toujours abondant. L'aborder n'est pas sans risque, car elle peut se montrer très bavarde, mais Aurélien éprouve le besoin de désamorcer sa contrariété en en parlant d'un ton badin. « Bonjour, madame Dubois. Dites, vous n'avez pas l'impression parfois que les objets inanimés ont, non pas une âme, mais une malice sournoise ? » L'interpellée sursaute devant sa boîte à lettres qu'elle est en train de vider, fronce les sourcils et réplique avec humeur : « Ah non, y'en a marre des sondages à la con ! Pas dès le matin, à domicile. Laissez-nous vivre, que diable ! » Sur cette fin de non-recevoir, elle referme sa boîte d'un coup sec et part en grommelant.

Aurélien reste un instant au milieu du hall désert, ahuri par la réaction de sa voisine, d'ordinaire fort aimable et causante. Elle ne l'a donc pas reconnu, mais pris pour un sondeur, voire un petit charlatan déguisé en sondeur ? Il se regarde dans le miroir mural, de face, de profil, il ne détecte rien d'anormal, son visage, sa stature sont intacts. Juste, peut-être, une légère impression d'estompage de sa silhouette, de ses traits ? Cela doit être dû à l'état nauséeux dans lequel il flotte encore.

Il entre dans une pharmacie. Une femme et un homme en blouse blanche conversent derrière le comptoir en l'absence de clients. La femme, d'âge mûr, a une prestance cligne d'Ava Gardner. Aurélien va droit vers elle, mais à l'instant où il s'apprête à lui adresser la parole, elle tourne les talons et part vers le fond de l'officine. Il admire sa démarche, sa belle chevelure noire. Il se rabat sur son collègue, lui demande des cachets ou une potion contre la nausée. Debout devant lui de l'autre côté du comptoir, il ne semble pas l'avoir entendu, pas même remarqué. Il fait bouger ses épaules, pivoter sa tête sur son cou, puis craquer ses phalanges, comme s'il lui fallait de toute urgence se dérouiller. Aurélien attend que le bonhomme ait fini d'égrener dix petits crac et remis sa tête dans l'axe, et il répète sa demande, en haussant sa voix. L'autre cligne des yeux, réfléchit sans grande inspiration, inspecte les étagères situées derrière lui, extrait un flacon qu'il fourre dans un sachet en papier et pose sur le comptoir, il enregistre la somme tout en l'annonçant, vérifie la monnaie avant de l'encaisser, et se met à compulser des papiers empilés à côté de la caisse sans ajouter un « Merci » ou un « Au revoir, bonne journée », ce b.a.-ba des échanges entre commerçants et clients. Aurélien ne s'attarde pas, ne se donne même pas le mal de faire remarquer son impolitesse au malotru.

La vendeuse de la pâtisserie où il se rend juste après pour acheter une tarte au citron meringuée ne fait pas montre de plus d'affabilité, elle ne profère pas un seul mot, ne sourit pas. Peut-être est-elle muette, ou accablée par un souci trop brûlant pour qu'elle puisse l'oublier un moment, mais qu'il lui faut tenir muselé pendant son travail ? Le téléphone sonne dans l'arrière-boutique et la fille s'éloigne pour aller décrocher. Aurélien l'entend parler, et rire, elle a une voix claire, un rire mélodieux. Rien d'une muette et rien d'une dépressive. Encore une mal embouchée qui fait des grâces quand ça lui chante, et la gueule quand elle s'ennuie. Du coup, il pique une grosse sucette en chocolat fourrée à la praline, en forme de marguerite, exposée avec d'autres sur un présentoir près de la caisse. Un cadeau de la part de personne, il le donnera à Joël.

Dans le bus où il vient de s'installer, il sort le flacon pour boire une gorgée du produit contre la nausée. Mais à l'instant où il porte la bouteille à ses lèvres, il se rend compte qu'il s'agit d'une lotion nettoyante – pour peau acnéique, précise l'étiquette. Le pharmacien aux jointures craquantes s'est trompé, ou ne l'a simplement pas écouté ; et même pas regardé, car il n'a rien d'un adolescent boutonneux. Il remballe le flacon, se cale contre le dossier de la banquette et respire avec application, pour contenir à la fois son mal de cœur et son irritation.

De l'appartement de sa mère aussi il possède la clef, mais comme chez Clotilde, il sonne et il attend. La sonnette, d'ordinaire carillonnante, ne produit aujourd'hui qu'un tintement fluet qui ne remplit pas son office d'avertisseur. Aurélien maintient son index appuyé contre le bouton. Il perçoit un remue-ménage derrière la porte, qui s'ouvre enfin. Sa mère, debout sur le seuil, la main sur la poignée, le regarde en proférant un drôle de « Oui ?… » interrogatif. « Eh oui, c'est moi ! » répond Aurélien à cette très vague question qui ne lui est d'ailleurs pas vraiment adressée. Il embrasse sa mère et enchaîne : « Ta sonnette donne des signes de faiblesse, elle n'émet qu'un couinement de souris, il faudra la réparer. Tiens, j'ai apporté ton dessert préféré, il serait bien de le mettre au frais, je crois. » Comme si elle émergeait d'un état de somnolence, la mère écarquille un peu les yeux, et sourit. Mais Iota, qui l'a suivie, repart sans manifester la moindre marque de reconnaissance.

Dans le salon, Joël est installé dans son fauteuil, près d'une fenêtre. D'une main, il effleure les feuilles d'un hibiscus en pot. Il a toujours aimé les plantes, et par-dessus tout les arbres, il ne peut s'en approcher sans les toucher – à peine, par frôlements. C'est sa façon de leur parler. Aurélien prend une chaise et va s'asseoir en face de lui. Il lui donne la friandise chapardée, Joël la fait tourner un moment entre ses mains, l'observe, il mordille un pétale, puis il plante la fleur en chocolat rognée dans le pot de l'hibiscus. Il regarde Aurélien, lui sourit. Ses yeux rappellent, par leur limpidité, ceux de l'homme du métro, mais ils n'en ont ni la fixité ni la dureté, leur clarté évoque bien plutôt celle d'une flamme pâle et soyeuse qui luit en ondoyant. Et son regard, loin d'assigner les autres à indifférence, le monde à glaciation dans la colère et le refus, se meut en douceur dans le visible, il épand du silence, et un étonnement inquiet, comme s'il demandait, du fond de l'ailleurs où il est naufragé : « Où es-tu ? Où suis-je ? Où sommes-nous, toi et moi ? Que se passe-t-il ? Où en est le jour, où en est la nuit ? Où en est le temps, la vie ?... »

Les années ont marqué discrètement son grand corps d'enfant atemporel, ses cheveux châtains ont blanchi, le gris bleu de ses yeux s'est fané, sa peau s'est flétrie, elle est translucide à ses tempes, dans leur creux sinue le tracé lilas des veines. Ses mains aussi sont diaphanes, et si longues, minces. Aurélien a toujours été ému par les mains de Joël ; elles ressemblent de plus en plus à un visage, car du visage, elles ont la fragilité et la mobilité, la beauté insaisissable. Il les prend entre les siennes, elles pèsent à peine, les doigts sont glacés.

Il se met à table, mais sans grand appétit car il se sent toujours barbouillé. Par chance, sa mère sert un repas léger ; en général, elle prépare plusieurs plats chaque fois qu'il vient, et élaborés, comme si elle voulait le nourrir pour tous les jours où elle ne l'a pas vu. Elle semble un peu triste, aujourd'hui, ou lasse. « Tu es fatiguée ? » Elle ne répond pas, l'air rêveur. Il répète sa question en posant cette fois sa main sur la sienne. « Mais toi aussi, tu as froid ! s'exclame-t-il, comme Joël, il fait pourtant chaud ici. — Oui, je ne sais pas… je ressens une sensation de froid, depuis quelques jours, c'est bizarre, cela vient par moments, des frissons qui passent, glacés mais furtifs, et pourtant je n'ai pas de fièvre… Toi aussi, d'ailleurs, tu as une petite mine. — Je ne dors pas très bien, ces derniers temps, et puis, cet hiver qui traîne, nous fait croire au printemps et revient sans crier gare, avec des sautes de température. Sinon, tout va bien. Enfin, à part mon ordinateur qui est en train de me jouer un sale tour, il me prive de tout courrier et m'a perdu des heures et des heures de travail. Et le téléphone aussi ne fonctionne pas très bien ; on dirait… — Une sorte d'évidement, dit sa mère qui poursuit son idée à tâtons, oui, un lent évidement au fil de frissons froids… comme si je perdais, ou oubliais quelque chose, mais sans savoir quoi… quelque chose d'important, toutefois… » Elle se tait un instant et reprend, soudain moqueuse : « C'est peut-être le travail de sape de l'âge, après tout ! Je perds simplement la mémoire, à petit feu. »

Décidément, pense Aurélien, la mélancolie rôde, ces jours-ci, Clotilde, ma mère, chacune paraît flotter à la dérive dans l'air, la première étourdie dans un tourbillon bruineux, la seconde enfermée dans une bulle givrée. L'une et l'autre, en perte de vitesse, de repères, de confiance, dirait-on, et même d'attention, de mémoire… Et lui ne vaut pas mieux, ballotté d'un oubli ou d'une nonchalance à l'autre de la part de ses proches, en butte à d'incessants tracas avec les objets. Il n'a pas précisé à sa mère en quoi consistent les dégâts subis à cause de la défaillance de son ordinateur, il lui avait promis la retranscription du journal de Joël pour aujourd'hui, mais elle n'y a pas fait allusion, son actuel état de langueur lui aura fait oublier cette promesse. Bon, ils traversent tous une mauvaise passe ; quelques perturbations dues au changement de saison. Dès les beaux jours, ça ira mieux.

Il n'ose pas demander à sa mère si l'évidement dont elle parle a le goût, poussiéreux et amer, d'un chagrin d'enfant. L'enfance de sa mère a été si tôt et si longtemps meurtrie, désolée, qu'elle se confond presque entièrement avec un chagrin. Il contourne cette question et l'interroge sur ce jour où ils avaient fait de la luge tous les deux, plus de quarante-cinq ans auparavant ; il aimerait savoir où c'était, s'il y avait d'autres personnes avec eux. Mais sa mère hausse légèrement les épaules, elle ne se souvient pas.

On sonne à la porte. Le carillon fonctionne parfaitement, il ne souffrait que d'une faiblesse passagère, donc. C'est Monsieur Ruben, un vieil ami. Lui et sa femme Lilli rendent souvent visite à Biedronka, mais aujourd'hui il est venu seul. Quand il était enfant, Aurélien adorait, tout en le craignant un peu, ce couple extravagant. Monsieur Ruben – on l'avait toujours appelé ainsi, on ne lui connaissait pas d'autre nom – avait été pourvu par la nature, prise d'espièglerie, d'une anomalie dont il avait su tirer profit pendant des années dans un music-hall. Il était capable d'ingurgiter n'importe quoi, bijoux, poissons rouges, couverts à dessert en argent, stylos, lézards ou grenouillettes, pièces de monnaie…, de conserver sa prise un long moment dans son estomac gobe-tout, puis de la recracher intacte, tel Jonas expectoré par la baleine, sans la moindre convulsion, sans même la marque d'un effort ; il avalait et restituait objets et petits animaux les plus hétéroclites avec une aisance confondante. Il exécutait ses numéros toujours vêtu d'un smoking noir à reflets bleutés, d'un

plastron et de manchettes d'une blancheur immaculée, ganté de soie assortie, et chaussé de souliers
vernis. Son élégance, comme chacun de ses gestes,
était d'une haute précision. Le public le tenait
pour un prestidigitateur très habile, à tort, seul
son système digestif l'était, de façon naturelle, et
remarquable. Il finissait ses numéros en allumant
un cigare, en tirait quelques bouffées, puis l'avalait, souriait comme si de rien n'était, exhalait des
ronds de fumée et lentement faisait réapparaître
hors de sa bouche le cigare avec son bout de braise
toujours rougeoyant.

Monsieur Ruben, à présent octogénaire, a cessé
depuis longtemps son activité d'homme-aquarium,
ainsi qu'il était qualifié sur les affiches annonçant
ses spectacles, mais il a conservé son élégance.
Il ne porte plus de smoking, mais des costumes
d'excellente coupe, avec gilet de satin de couleur
vive et nœud papillon. Il lui arrive encore de jouer
de son art d'escamoteur, pour s'amuser, englou-
tissant parfois une babiole, une fleur, un morceau
de papier qu'il restitue quelques minutes plus tard
d'un air désinvolte sous le regard ahuri de ceux qui
ignorent son don.

Sa femme Lilli est également hors normes, mais
selon son talent propre. Chez elle aussi la fantaisie s'est logée dans le ventre, elle est ventriloque.
Autrefois elle pouvait mener toute seule des dialogues endiablés, et même des discussions à plusieurs voix aux timbres, accents et coloris divers.
Son registre était vaste, il incluait des cris d'ani-

maux, des chants d'oiseaux, des bruits d'outils, de moteur, de vent et de cascades. Avec l'âge, elle a réduit le champ de ses imitations, mais elle ne se refuse jamais le plaisir d'émettre des bruitages saugrenus quand l'envie lui en prend.

Monsieur Ruben va saluer Joël et reste un moment près de lui. « Tu arrives au bon moment, dit Biedronka en disposant des assiettes à dessert, celui de la tarte et du café. Dommage que Lilli ne soit pas là. » Il vient s'asseoir à la table. Il répond par un bonjour distrait à celui que lui souhaite Aurélien. « Lilli est restée se reposer, elle a attrapé un rhume, rien de grave. Mais elle compte bien être en pleine forme samedi, n'oublie pas que vous êtes invités chez nous pour fêter la naissance de notre troisième arrière-petit-enfant, Moé. — Moshé? — Non, Moé, c'est une fille, son prénom vient de Tahiti, comme sa mère... Oh, quelle tarte alléchante ! Tu es vraiment une cuisinière raffinée ! — Pas du tout, je l'ai achetée chez un pâtissier. » À ces mots, Aurélien regarde sa mère avec surprise, et bientôt un brin de tristesse ; se peut-il, en effet, qu'elle perde la mémoire à petit feu, comme elle en a émis l'éventualité tout à l'heure ?

Elle et son hôte conversent sans tenir compte de sa présence. De temps à autre ils se tournent vers Joël, dont le regard transparent erre le long du voilage de la fenêtre. « Il se nourrit de si peu, murmure

Biedronka, il n'a guère d'appétit, il n'en a jamais eu beaucoup, d'ailleurs. Parfois, j'ai l'impression qu'il s'alimente de couleurs, d'ombres et de clartés, de sons et de silence… — Il voit et il entend toujours bien, non ? l'interrompt Monsieur Ruben. — Oui, mais nous écoute-t-il, nous comprend-il ? J'en doute. — Bah, cela en vaut-il la peine ? En tout cas, il semble toujours d'humeur égale, il est si doux… — Il n'est pas d'humeur égale, rectifie Biedronka, je dirais plutôt : d'humeur discrète. Il ne manifeste pas ses états d'âme, cependant il lui arrive, comme à nous tous, de passer de la sérénité à l'abattement, du sourire à une profonde affliction. Ces derniers temps, il semble s'éloigner de plus en plus… si tant est que cela soit possible. Mais tu n'es pas venu pour entendre des lamentations ! Tiens, si nous faisions une partie de dames ? Et samedi, c'est vous qui viendrez, c'est plus facile, avec Joël… — D'accord, nous apporterons le champagne. »

Aurélien retourne auprès de Joël toujours absorbé dans la contemplation des rideaux de cretonne blanc ivoire brodés de motifs floraux. « Tu n'as pas envie d'un peu de tarte au citron ? Elle est très bonne, tu sais. Ou de cette fleur en chocolat ? » Joël ne répond pas, il caresse un pli du rideau. Sa main se confond presque avec le voilage, la lumière filtre pareillement à travers la peau et le tissu. Aurélien imite son geste, il glisse sa main au creux d'un pli, en attouche l'ombre, et ses doigts, sa paume s'engrisaillent. Sa main à lui, pourtant forte, charnue, se laisse aussi teinter, mais elle capte l'obscurité plus que la clarté. « Dis, quand on parle, tu écoutes et tu suis ce qu'on raconte, n'est-ce pas ? Et là, maintenant, tu m'entends et tu me comprends ? » Il s'exprime à voix basse, dans un quasi-murmure, au diapason de Joël. Celui-ci fait pivoter lentement sa tête et le regarde avec intensité. Son regard recru de solitude est aussi traversant que la lumière du jour qui perce les rideaux et sa peau opaline, et il est d'une éloquence ambiguë à l'extrême : autant présent qu'absent, aussi proche que lointain, vulnérable et néanmoins souverain. Déroutant ; bouleversant si on le soutient plus que quelques secondes. Aurélien le soutient longuement pour la première fois depuis longtemps, depuis sa petite enfance, peut-être, lorsqu'il se tenait en toute candeur devant le monde, regardait les autres sans arrière-pensée, sans méfiance, avec étonnement et simplicité. Et ce regard le pénètre, mais sans se poser ni peser sur lui, il le brûle en passant, le trouble en profondeur. Est-ce un dialogue hors mots qu'instaure ainsi Joël, tel celui qu'il entretient avec les plantes, avec les animaux, avec l'ensemble des choses ? Aurélien lui a proposé, faute de mieux, un peu de nourriture, des friandises, mais lui, que propose-t-il à travers son regard d'eau gris de perle et de soleil brumeux ? « Je t'ai rapporté la visionneuse. Elle est réparée. Tiens, regarde. » Aurélien prend le boîtier en métal et le pose sur les genoux de Joël qui, après un moment de réflexion, comme s'il cherchait à identifier cet objet, le porte à hauteur de ses yeux et commence à faire défiler les images. Il s'absorbe dans ce spectacle, à l'évidence avec plaisir.

Biedronka et Monsieur Ruben ont débarrassé la table, ils jouent aux dames, chacun penché vers le damier, très concentré. Aurélien ne veut pas les déranger, ni le chien endormi aux pieds de sa maîtresse ; il flâne dans le salon. Il aime bien inspecter ce lieu chaque fois qu'il y revient, faire le tour du domaine maternel qui garde trace de tant de souvenirs de Balthazar, et de sa propre enfance, s'arrêter devant un bibelot, une image, un meuble ou un livre. Sur le buffet sont alignés des cadres de tailles et de formes diverses, tous en loupe de bois blond. C'est la galerie de portraits de la famille. Mais cette collection est singulière, certains cadres ne contiennent aucune photographie, celle-ci ayant à jamais disparu ou bien n'ayant jamais été prise ; ainsi en est-il pour ses grands-parents Szczyszczaj, Jadwiga et Zbigniew, dont aucun objet, aucun souvenir, aussi anodin soit-il, n'a été sauvegardé, et pour l'homme « entre chien et loup », son géniteur follement aromatique, et volatil comme il sied à tous les parfums. Aux deux premiers est consacré un grand ovale présentant deux anémones séchées derrière le sous-verre, l'homme-odeur, lui, a reçu un encadrement rond encerclant un fond nu d'une couleur indéfinie, moirée. Ces trois très chers invisibles sont entourés par leur descendance et les ramifications de celle-ci : Biedronka, lui-même, Balthazar et Joël, quelques amis, dont Monsieur Ruben et Lilli, chacun posant en habit de scène. De Joël, il y a deux portraits datant d'avant l'agression ; un de petit garçon aux cheveux en désordre, aux yeux rieurs, et un d'adolescent au regard malicieux, et aux cheveux toujours en pétard. Il ne l'aura jamais connu ainsi, mais parfois des éclats fugaces de cette ardeur et de cette grâce massacrées affleurent dans ses yeux, et soudain se retirent comme fuient des lucioles en un vol effaré.

Aurélien s'attarde devant un portrait de Balthazar, puis de sa mère alors âgée d'une trentaine d'années ; son visage, pris de trois quarts dans l'embrasure d'une fenêtre, est radieux, il s'en dégage une impression de vigueur et de sérénité. Il se tourne vers elle, qu'il aperçoit de profil, assise en face de Monsieur Ruben, et l'observe. Elle a peu changé. À soixante-dix-sept ans à présent, elle conserve une belle allure et une étonnante fraîcheur de teint. Mais ses forces commencent à décliner, et elle craint de ne pouvoir continuer longtemps à assumer Joël, et plus encore de mourir en le laissant seul. Ce souci la tourmente de plus en plus malgré l'engagement d'Aurélien de prendre le relais auprès de Joël en cas de malheur. Il repose la photographie, en prend une autre, de lui en compagnie de sa mère et de Balthazar. Tiens, il n'avait jamais remarqué combien il était nébuleux sur cette photo, alors que les deux autres sont, eux, tout à fait nets ; il avait dû bouger brusquement au moment de la prise. Mais il constate le même phénomène sur d'autres clichés, jusque sur son portrait exposé dans un cadre semblable à celui dévolu à son père très abstraitement figuré. Son visage est réduit à une tache ovoïde, brun roux. Y aurait-il contagion, expansion du syndrome Atlantide ? Mais non, c'est un problème chimique, le photographe aura raté l'opération de fixation et voilà que l'image s'altère. Tout de même, ce brunissement est désagréable, Aurélien vient montrer le gâchis à sa mère.

« Regarde, plaisante-t-il en tendant le cadre devant elle, je suis en train de me transformer en buée roussâtre. » Biedronka lève la tête, surprise par cette intrusion dans sa paisible partie de dames ; elle regarde la photo. « C'est bizarre, admet-elle après un instant, on dirait... on dirait rien du tout, en fait ! » Puis, levant les yeux vers lui, elle ajoute : « Ah, quoique... c'est peut-être un excès de contre-jour, comme toi-même tu te tiens en ce moment ? C'est ressemblant, finalement... un curieux flou artistique, ma foi ! » Sur ces mots, sans transition, elle revient au jeu. « Fais voir, demande Monsieur Ruben qui chausse ses lunettes pour mieux inspecter l'image. C'est l'usure du temps, les couleurs ont viré, l'épreuve aura été mal fixée. À moins qu'un farceur n'ait avalé subrepticement l'image… comme ça ! » Et, en riant, il avale un pion. « Monsieur Ruben ! s'écrie Biedronka, cesse un peu tes bêtises ! Le jeu, c'est sérieux. » Bing, le pion resurgit, tourne en l'air et retombe sur le damier.

Aurélien va remettre le cadre à sa place. Dans le miroir accroché au-dessus du buffet, il voit son reflet. Sa mère a raison, il y a bien une ressemblance entre lui et la photo roussie. Et si Monsieur Ruben avait dit juste, lui aussi – se peut-il effectivement que quelqu'un s'amuse à le consommer, à escamoter sa visibilité ? « Je divague ! Cela n'a aucun sens. » Ce n'est plus une sensation de nausée, qu'il éprouve, plutôt de vertige, de panique.

Il se réfugie dans son ancienne chambre, transformée en débarras. Il désencombre le lit des sacs, piles de revues et de vêtements entassés dessus, et s'allonge. Il est transi de froid, il s'enveloppe dans le couvre-lit. Il s'endort.

VENDREDI

Il se réveille brusquement, dans le noir. Il ne sait pas où il se trouve, le lieu lui est à la fois intime et étranger. Ce n'est pas son lit, pas l'oreiller auquel il est habitué, pas l'odeur ni le volume de sa chambre, et cependant l'espace qui l'environne lui est vaguement familier, il y pressent des repères. Il tâtonne contre le mur, appuie sur un interrupteur. Une lumière crue gicle dans la pièce, qu'il reconnaît enfin. Sa chambre d'autrefois, à la peinture fanée, à l'air confiné. Il regarde sa montre, il est trois heures vingt et une. Il a dormi douze heures d'affilée, d'un sommeil opaque, étale, sans aucun rêve. De tels endormissements en pleine journée et durant si longtemps ne lui arrivent jamais, il ne s'explique pas cette faiblesse. Il se lève, le corps vaguement endolori, les jambes cotonneuses. Il va ouvrir la fenêtre et les volets. Il respire le froid et l'odeur de la nuit. Odeur de rue nocturne, charriant des relents d'essence, de poubelles, d'asphalte humide. Le ciel est noir grisâtre, atone, ni lune ni étoiles. Il referme la fenêtre, sort de la pièce.

Le salon est désert, la table de la salle à manger desservie. Il allume une lampe sur le buffet pour examiner à nouveau les photographies. Il ne figure plus sur les portraits qu'à l'état d'ombre informe, même plus rousse, mais gris poussière, à l'unisson du ciel. Il n'est pas tant consommé que consumé. Doit-il glisser une fleur séchée sous le verre, en signe de complicité avec ses grands-parents Szczyszczaj ? Pourquoi pas un trèfle à quatre feuilles, en guise de porte-bonheur dérisoire ? Plutôt un porte-absence. Il n'ose pas lever les yeux vers le miroir, de crainte de s'y découvrir aussi brouillé que sur la photo. Pour faire diversion, il se laisse accaparer par une question insignifiante : quel est donc le nom attribué au valet de trèfle dans un jeu de cartes ? Lancelot ! Et le roi ?... Alexandre ! Il se prend au jeu, poursuit son enquête, paupières fermées pour mieux se concentrer. Hector, valet de carreau, et César est son roi ; Lahire, valet de cœur, Charles est le roi ; en pique, valet Ogier et roi David. Au tour des dames : Rachel en carreau, Judith en cœur... la reine de pique lui échappe, il secoue la tête. Pallas ! Reste la dame de trèfle. Clotilde ? Il sourit tristement. Non, Argine, drôle de nom. Il a épuisé ce dérivatif à sa peur. Ah, il se souvient que le valet de trèfle est doté d'un autre nom dans certains jeux, mais lequel ? Polignac ? Non, c'est le valet de pique dans sa version néfaste, celui dont il convient de se débarrasser à tout prix. Il repart en quête. Le nom lui revient, tout simple, charmant : Mistigri. Une carte avantageuse, celle-là. Il rouvre les yeux.

Une grande tache sombre, grumeleuse, flotte dans le miroir ; elle lui évoque une tête sculptée par Giacometti. « Mon flou devient en effet très esthétique », ironise-t-il, la bouche sèche, le cœur violemment pincé. Il se détourne du buffet.

Il hésite devant la porte de la chambre de sa mère, puis l'entrouvre avec précaution. Il distingue la dormeuse dans la pénombre, elle est couchée sur le côté, jambes et bras repliés sous les draps. Ses cheveux sont épars autour de sa tête, ils forment un halo inégal, d'un blanc cendré. Elle semble si menue, enfantine. Iota dort à ses pieds, roulé en boule. Aurélien avance à pas de loup, puis s'immobilise au milieu de la pièce. Il ne sait pas ce qu'il vient chercher là, ce qu'il attend. Sa mère respire si calmement que son souffle est à peine audible. Rêve-t-elle, en cet instant ? Mais il reste à distance de ses rêves comme de son lit, il ne veut pas troubler son sommeil. Il murmure tout bas « Biedroneczko lec do nieba, przynies mi kawalek chleba… » Ces mots prennent un goût de larmes dans sa gorge. Il se retire sans bruit. Le chien ne s'est pas réveillé.

Il pénètre dans la chambre de Joël. Celui-ci se tient presque assis dans son lit, le buste appuyé contre de volumineux oreillers, sa tête penche un peu vers son épaule gauche dans un abandon très doux. Une mèche de cheveux gris tombe en travers de son front. Aurélien s'approche du dormeur, s'accroupit à son chevet ; leurs visages sont tout près l'un de l'autre, ils se touchent presque. Les paupières de Joël sont baissées mais pas complètement closes, une mince fente en forme de lunule luit entre les cils. Cet infime rai de blancheur humide suffit à répandre un peu de clarté sur le visage endormi. Est-ce la lumière du jour qu'il contemple en silence pendant des heures, assis à la fenêtre, que Joël restitue ainsi la nuit, en lueur laiteuse? Et le sourd chuintement de son souffle par instants entrecoupé de soupirs, ou de furtifs gémissements, est-il l'écho assourdi du brouhaha de la ville, du bourdonnement du temps, mêlé à la rumeur de son sang, aux pulsations de son cœur? Que se passe-t-il dans le corps, dans le sang, dans l'esprit de cet homme fantomal? s'interroge une nouvelle fois Aurélien, et soudain, l'inquiétude de sa mère à l'égard de Joël s'empare de lui. Car il ne sait plus lui-même où il en est, ce qui se passe dans son propre corps qui semble perdre de jour en jour, et à vitesse accélérée, sa consistance, son énergie, sa visibilité. Tout se brouille en lui, physiquement et mentalement. Si cela continue, il ne pourra pas assumer la relève de sa mère auprès de Joël. « Tu dors? » demande-t-il à voix basse. L'autre ne répond que par un imperceptible cillement, qui peut signifier oui autant que non, et plus encore rien du tout.

Mais à qui Aurélien a-t-il posé la question, à Joël ou à lui-même? Car peut-être est-il en train de dormir, sa mue en ombre n'est-elle qu'un mauvais rêve? Comment savoir, au fond, quand on dort, quand on veille? Ou peut-être est-il en train de devenir semblable à Joël, un homme des frontières, oscillant entre insomnie et songe, vacillant entre ici et ailleurs, voire ici et nulle part, entre vie et absence? Un homme en suspens.

« Tu te souviens de ce que tu as écrit, autrefois? Quand tu étais jeune, toute la vie devant toi… La vie devant soi, et d'un coup, la voilà qui glisse derrière, sans qu'on ait eu le temps de voir s'amorcer le mouvement. Le dérapage, en ce qui nous concerne.

« Tu disais que tu étais un personnage inconnu, inachevé, en évolution, ou plutôt en altération constante : "métamorphose, anamorphose, paramorphose, tératomorphose, hagiomorphose, patamorphose…" tu aurais pu ajouter "catamorphose, antimorphose, apomorphose…", que sais-je encore? Je dis n'importe quoi, mais comment définir ce qui m'arrive, hein?

« Joël, j'ai peur, je ne comprends plus rien, ni à moi ni aux autres. J'ai l'impression de m'effacer à leurs yeux, vais-je m'effacer aussi aux miens? Mais toi qui rêvais d'ôter, une fois devenu vieux, une à une toutes les peaux d'encre et d'ombre dont tu te serais couvert, as-tu réussi malgré tout à accomplir ce dépiautage, à y consentir? Vois-tu s'éclairer ta nudité? Pour moi, tout s'obscurcit, et aussi s'effiloche, j'ai la sensation de perdre toute consistance, tout poids, cela n'est pas un allégement, au contraire, car en même temps tout se plombe…

143

Oh Joël, Joël, dis quelque chose, aide-moi, je suis sûr que tu m'entends. J'ai peur à en crever. » Mais le dormeur aux yeux mi-clos ne répond rien, sa respiration se fait juste un peu plus oppressée.

Aurélien se relève et quitte la chambre. Alors qu'il franchit le seuil et s'apprête à refermer la porte, il se retourne. Joël le regarde, yeux grands ouverts, puis rebaisse ses paupières et sa tête bascule vers le mur.

Il éprouve une grande soif ; il va dans la cuisine, cherche un jus de fruits dans le réfrigérateur mais l'odeur des aliments réveille sa nausée. Sa sensibilité olfactive semble s'être encore accrue. Il se sert un verre au robinet, puis il s'asperge le visage à l'eau froide, se frotte avec vigueur la nuque, les tempes, et les mains jusqu'aux poignets. La pendule murale indique quatre heures trente-neuf, cela fait donc plus d'une heure qu'il erre dans l'appartement, mais le jour est encore loin de se lever. Il ne veut pas s'attarder davantage ; pour y avoir dormi à contre-temps, il se sent un intrus dans ce lieu pourtant si familier.

Sa mère s'est-elle inquiétée de lui lorsqu'il a disparu du salon, l'a-t-elle cherché dans son ancienne chambre ? Sait-elle qu'il est resté là ? Il décroche l'ardoise magique suspendue à côté de l'évier, où sa mère inscrit la liste des courses à faire. En marge de la colonne « huile d'olive, fromage blanc, gros sel, chapelure, pommes, gousse de vanille, eau de

Javel, dentifrice, cirage brun », il écrit, en larges lettres : « Je rentre chez moi avant d'aller au bureau. Je vous embrasse. À bientôt. Aurélien. » Il pose l'ardoise sur la table, en appui contre la cafetière, pour s'assurer que sa mère la verra.

Dans le hall, il s'arrête un instant, intrigué par un détail qu'il n'avait pas remarqué la veille. Les plantes d'ornement ont été changées, elles affichent une bonne santé suspecte : les deux philodendrons qui encadrent la porte d'entrée sont d'un vert rutilant, et les cactées en pots disposés symétriquement arborent des fleurs couleur de bonbons acidulés. Un mini-jardin artificiel, bien propre, qui brille sans demander d'entretien, c'est décoratif et gai. Aurélien se retient de flanquer toutes ces mochetés sur le trottoir.

La nuit est grise, la rue déserte. Les réverbères sont encore allumés. Une voiture pointe au bout de la rue, elle ralentit, s'arrête, moteur ronflant. Une portière s'ouvre, deux jambes nues, pieds et chevilles ficelés dans des chaussures à lanières argentées et à talons hauts, s'extirpent de l'habitacle, le reste du corps sort et se déploie, celui d'une jeune femme. Elle est vêtue d'un short ultra-court et d'un bustier, elle porte un blouson plié sur un bras. Elle est grande, élancée. La voiture redémarre sur les chapeaux de roues, disparaît en un clin d'œil. La femme tourne vivement le visage de côté, et crache, puis s'essuie la bouche du revers de la main. Elle arrange sa frange du bout des doigts, enfile son blouson en simili-cuir noir, et se met en mouvement à pas lents. Elle va s'adosser à un platane. Elle renverse sa tête contre le tronc, lève son regard vers le branchage encore nu, contemple un moment le ciel à travers l'entrelacs des branches. Elle sifflote un air, se tait, reprend sa modulation, comme un oiseau testant son chant. Aurélien écoute, puis fredonne en écho la mélodie, tout bas. Il s'approche de la fille, mais elle ne remarque pas sa présence.

Il se tient tout près d'elle à présent, sous la ramure qui projette d'épais rais noirs en cercle sur le sol. La fille est moins jeune qu'il ne l'avait cru. Elle a fermé les yeux, et s'est tue. Peut-être dort-elle un instant, debout, à la dérobée. Au bruit d'une voiture qui s'engage dans la rue, elle rouvre les yeux en sursaut et se détache du tronc d'un coup d'épaule, elle se remet en mouvement. La voiture file, indifférente. Aurélien regarde la femme arpenter le trottoir; elle marche au ralenti. Il se peut qu'elle dorme aussi en marchant, juchée sur ses talons lunaires qui rehaussent la minceur et la clarté ambrée de ses jambes. Celles-ci sont très joliment galbées, de même que les cuisses, elles ne peuvent qu'attirer le regard; de vrais hameçons. Mais la plupart des clients qui y mordent et embarquent la belle-de-nuit si bien jambée ne doivent même plus avoir l'idée, une fois qu'ils l'ont à leur disposition, d'admirer ces membres sveltes, d'en caresser la peau soyeuse. Ils n'ont pas de temps à perdre, ils louent un instrument de jouissance dont l'utilisation est minutée.

Une ombre immense, filiforme, précède la femme. C'est alors qu'Aurélien s'aperçoit que lui n'est précédé par rien. Il s'immobilise, pivote à droite, à gauche, les yeux rivés à l'asphalte, mais il ne détecte aucune ombre rayonner du bout de ses pieds alors qu'une poubelle en plastique plantée à deux pas de lui, en dessine une, elle, et bien nette. Il se tâte le visage, le torse, les hanches, les cuisses – son corps est consistant, pourtant, il ne s'est pas volatilisé, et ses vêtements ne se sont pas davantage dématérialisés. Il frappe le sol de ses talons, on dirait qu'il s'apprête à danser des claquettes, et il agite les bras en tous sens. Il ne produit ni bruit ni ombre, juste un minuscule remous d'air. La femme, qui continue à aller et venir avec une allure de somnambule, le croise, le frôle. Elle ne le voit ni ne l'entend, mais elle a dû sentir quelque chose, un léger courant d'air, car elle remonte le col de son blouson. Elle s'éloigne. Aurélien court derrière elle, pose une main sur son épaule. Il l'interpelle : « Madame, madame ! » Elle suspend une seconde sa déambulation, le temps de proférer un long bâillement. Il lui siffle à l'oreille, le plus fort possible, la mélodie qu'elle ressassait tout à l'heure ; elle penche imperceptiblement la tête, esquisse un vague sourire, et sifflote à son tour. Une camionnette de livraison au pot d'échappement défaillant freine à sa hauteur. Le conducteur baisse sa vitre, la femme et lui parlementent brièvement, il ouvre la portière côté passager, elle monte. La voiture repart. L'amour est parti faire un tour en bagnole pour un orgasme à la sauvette, chichement tarifé, et qui, dans la bouche de la pourvoyeuse de plaisir, va laisser une fois de plus un goût nidoreux.

Il court, sans savoir où il va. Il court pour fuir sa propre panique, son absence d'ombre. Il court pour ne pas crier, ne pas pleurer. Il court à perdre haleine, pour éprouver son corps. Sa respiration se fait sifflante, son front est en sueur. Il lui faut s'arrêter, il est à bout de souffle. Il s'appuie contre un mur, se laisse glisser jusqu'à s'affaler et rester accroupi au ras du trottoir. Il ahane, ses poumons sont en feu, son cœur bat à la volée. Des gens passent devant lui, il voit leurs pieds, leurs jambes. Il n'ose pas lever les yeux vers eux, vers leurs visages; il redoute d'affronter leur absence de regard sur lui. Lui, que personne ne distingue, que même les chiens ne sentent plus. « Clotilde, Clotilde ! » gémit-il, saisi d'une douleur cinglante à l'idée de la perdre.

Il se relève. Il ignore où il se trouve, il a tant couru. Il cherche une station de métro, en trouve enfin une, mais les grilles sont encore fermées, elles n'ouvriront que dans une demi-heure. Il attend, assis sur les marches. Il a froid, et faim aussi, il n'a rien mangé depuis le déjeuner, frugal, qu'il a pris la veille chez sa mère. Mais sa faim se double toujours d'une sensation de nausée. « Clotilde, Clotilde ! » Il répète son nom, sans cesse, comme une incantation pour contenir l'effroi qui se répand en lui.

Il est chez elle. Ou plutôt, sur son seuil. Elle dort encore, à cette heure matinale, comme tous les habitants de l'immeuble. Cette fois, il utilise sa clef, il l'introduit mais elle ne tourne pas, Clotilde a dû laisser la sienne dans la serrure, impossible de l'en déloger. Il appuie sur la sonnette, de tout son poids. Aucun son. Il frappe à coups redoublés contre la porte, en vain. Il n'a plus d'emprise sur les choses. Si encore, dans son malheur, il avait acquis la fluidité d'un passe-muraille; il n'en est rien, son corps, bien qu'invisible, reste une masse. Il appelle Clotilde, il crie, il hurle son nom. Ses tempes lui cuisent, mais sa voix est inaudible à tout autre que lui. À nouveau, il s'inspecte, se palpe. Il se pince, jusqu'à se faire mal. Son corps est d'une sensibilité accrue. « Non, se dit-il, tout ceci n'est qu'un mauvais rêve, une illusion atroce, je vais me réveiller… ou bien, ce sont les autres, peut-être, qui ont perdu le contact avec le réel ? Qui donc s'est altéré à son insu, eux ou moi ? Le nombre ne change rien à l'affaire… Est-ce un problème d'optique, de perspective ? Comment diable ai-je pu sortir ainsi du champ de vision de tous mes semblables, et de leur champ acoustique aussi, et olfactif en prime ! Non non, je vais me réveiller de ce mirage absurde qui fonctionne à l'envers, qui me gomme… je dois me réveiller, il le faut ! Hé, vous tous qui dormez, là, à tous les étages, réveillez-vous, bande d'aveugles et de sourds ! Clotilde, allez, réveille-toi, oui, toi la première. Par pitié ! Non, pas par pitié, par… par… par normalité. Par bonté. Toi, Clotilde, par amour, et vous autres, par amitié… par humanité ! »

Il parle tout haut, de toute façon cela ne dérange personne. Il zigzague dans ses pensées, il cherche ses mots. Il se refuse encore à reconnaître l'énormité de son désastre – de son « apomorphose » ou « antimorphose » tragique et ridicule en personnage totalement imperceptible, privé soudain du moindre « mot à dire dans la réalité » car expulsé de l'apparence, alors même que, de cette réalité, de la communauté humaine, il entend comme jamais les pulsations du cœur. Ce n'est d'ailleurs pas tant qu'il la refuse, cette néant-morphose, il est sidéré. Et soudain, devant tant d'aberration, il éclate de rire.

La porte des voisins de palier de Clotilde s'ouvre, un homme d'une trentaine d'années en sort. Aurélien le connaît de vue, pour l'avoir souvent croisé dans le hall de l'immeuble ou dans les escaliers. Il part à son travail. Il dégage une odeur d'after-shave épicée. Alors qu'il a encore la main posée sur la poignée, Aurélien se précipite vers lui, le bouscule et entre en trombe dans l'appartement. L'autre a à peine sursauté. « Tiens, chuchote-t-il en jetant un regard étonné autour de lui, c'est bizarre, ce courant d'air ! » Il referme la porte et s'en va.

« Et maintenant ? » se demande Aurélien pris de panique. Il se sent un intrus, un violeur d'intimité. Il entend des voix dans une pièce à côté, celles d'une femme et d'un enfant. « Allons, Corentin, dépêche-toi, on part dans un quart d'heure. N'oublie pas ton sac de sport. Et ferme la fenêtre de ta chambre, c'est assez aéré comme ça maintenant, il fait froid ! » Aurélien se hâte, il traverse le salon où un gros chat tigré fait la sieste sur l'accoudoir d'un canapé. Il cherche la chambre de l'enfant, la trouve, court vers la fenêtre entrebâillée, en écarte les pans, monte sur le rebord extérieur. Le balcon de la chambre de Clotilde se trouve à environ un mètre sur la gauche. Il calcule le saut qu'il doit accomplir pour y arriver. S'il le loupe et qu'il tombe, il se fracassera les os une dizaine de mètres plus bas. Mais à présent, quelle importance ? Son cadavre passera-t-il aussi inaperçu que sa carcasse de vivant ? Il se concentre, prend son élan, se jette vers le balcon. Il ne rate qu'à moitié son exercice acrobatique et se retrouve accroché à la balustrade, les jambes gigotant dans le vide. Il parvient à se hisser, à reprendre appui et il atterrit enfin sur la plateforme. La porte-fenêtre est entrouverte, il la pousse doucement. Le lit est vide, défait. Il se glisse dans la chambre, s'arrête un instant près du lit, se penche vers l'oreiller, respire l'odeur des cheveux de Clotilde. Elle est dans la salle de bain, il entend le ruissellement de l'eau.

Elle est bien là, sous la douche. Nue, merveilleusement nue. Combien de fois se sont-ils douchés ensemble ? Souvent. Il ôte sa veste, son pull, ses chaussures, ses chaussettes et son pantalon, mais ne prend pas le temps de se déshabiller davantage de peur qu'elle ne s'en aille ; vite, il la rejoint dans la cabine. Elle est en train de se shampooiner les cheveux. Il prélève un peu de mousse au parfum suave de lait d'amande qui coule sur ses épaules, s'en frotte ses propres cheveux. Il a envie de l'enlacer, de l'étreindre, mais dès qu'il pose ses mains sur ses seins elle frissonne comme sous le coup d'une montée de fièvre et son corps se contracte. Il retire ses mains, il tourne autour d'elle, il la frôle, il caresse sa silhouette et lui murmure des mots d'amour et de désir. Une joie fulgurante, étranglée de détresse, le submerge. Sur l'air sifflé par la femme aux longues jambes, à l'aube sous le platane, il fredonne son vieux refrain, avec une variante : « Clotildeczko lec do nieba, przynies mi kawalek chleba... »

Indifférente à tout ce déploiement amoureux, Clotilde se rince, puis, s'écartant, elle projette un jet d'eau brûlante sur les parois de la cabine et sur le sol pour les nettoyer. Aurélien pousse un braillement de douleur et bondit hors de la douche, le corps fumant de la tête aux pieds. « Hou, que de vapeur ! » s'étonne Clotilde. Elle s'enveloppe dans un peignoir en coton, entortille une serviette autour de sa tête, et ouvre le vasistas. Elle repart dans sa chambre, nantie d'une brosse et du sèche-cheveux. Lui, plus fantomal que jamais dans le brouillard d'étuve qui emplit la salle de bain, cherche à tâtons une serviette, puis, à quatre pattes, ses chaussures et les vêtements qu'il avait jetés sur le carrelage. Mais il ne les trouve pas, à croire qu'ils se sont dissous dans cette humidité bouillante. En se relevant il se cogne violemment le front contre le lavabo. Groggy, il s'assied sur le couvercle des toilettes, la tête entre les mains. Il sent gonfler son arcade sourcilière. Un espoir pathétique lui traverse l'esprit : « Et si, avec des gnons, des écorchures et des bosses plein la figure, je redevenais visible ? » Mais cette idée s'évapore presque aussitôt, ruinée par un constat qu'il a pu faire dans la rue – les gens sans domicile, sans aucun abri, sans une once d'avoir, sans rien en tout domaine, sont souvent très amochés, le visage tuméfié, la peau rougie-bleuie de mauvais vin, violacée de sang tourné, verdie comme si un peu de mort s'était déjà glissée et épandue sous l'épiderme. Et alors ? En quoi ces gueules de carnaval attirent-elle particulièrement l'attention, si ce n'est pour nous mettre en garde ? En garde contre on ne sait pas trop quoi, précisément, contre la misère, la menace de la misère, sa laideur, son ennui, sa saleté, tout cela qui pourrait nous arriver, et que l'on fuit. Non, on ne va pas faire la révolution pour

154

autant, ni soulever à bras-le-corps ces épouvantails ambulants pour les conduire chez soi et leur offrir le gîte et le couvert, pas même les saluer d'égal à égal et discuter avec eux ; au mieux, on leur file une pièce, les grands jours un petit billet, et les bons jours quelques mots qui n'engagent à rien.

Il se lève de son siège pour se passer de l'eau fraîche sur le visage. Ses joues sont râpeuses, il ne s'est pas rasé depuis la veille. Le miroir, où la buée commence à se dissiper et à couler en fines rigoles, lui renvoie encore moins de reflet que celui du salon de sa mère ; pas même une tache, un flou, rien. Pourtant, il sent le gonflement douloureux de son arcade sourcilière et de sa paupière à l'œil droit. « Me voici à demi encrapaudé ! » en déduit-il du bout des doigts. Il se rassied.

Clotilde revient ranger la brosse et le sèche-cheveux dans la salle de bain, elle porte une robe qu'il lui a récemment offerte, d'une coupe sobre, en tissu fluide, et d'un coloris bleu fumé qui lui va si bien. Aurélien est ému de la voir dans cette robe qu'ils ont choisie ensemble. Se souvient-elle de cet achat, de ses hésitations, des commentaires amusés, puis admiratifs, qu'il avait faits durant la séance d'essayage ? Se souvient-elle de lui ?

Elle se poudre le visage, passe ses cils au mascara. Elle se tient penchée vers la glace à présent sèche et parfaitement réfléchissante, ainsi peut-il la contempler à la fois de dos et de face. Elle lui plaît des deux côtés. Il prend l'ourlet de la robe entre ses doigts, le froisse doucement. Il se lève, vient se poster à ses côtés. Mais elle demeure seule dans le miroir, et lui, plus seul encore, épouvantablement, hors du miroir. Elle s'en détourne, ferme le vasistas, sort de la pièce. Il a froid, juste vêtu de sa chemise et de son caleçon trempés, les cheveux encore mouillés. Il a beau chercher à nouveau, il ne déniche pas ses habits et ses chaussures, comme l'autre fois ses affaires de toilette. Cette salle de bain serait-elle aussi frappée par la malédiction de l'Atlantide ? Mais alors, pourquoi est-il l'unique bénéficiaire du sortilège ?

Il se rend dans la chambre, fouille dans le placard dans l'espoir de trouver quelque chose qui lui aille, mais il n'y a que les vêtements de Clotilde, rien dans quoi il puisse entrer. Il repart bredouille.

Dans le salon, debout près d'une fenêtre, elle grignote une pomme, une tasse posée près d'elle sur une étagère de la bibliothèque. Elle ne s'est pas installée à la cuisine selon son habitude. Contrairement à lui, elle aime petit-déjeuner assise à une table. Mais ce matin, elle se tient debout. Elle souffle d'un air distrait sur la tasse de thé noir qui fume entre ses mains, son regard flotte dans une rêverie mélancolique.

Il s'approche d'elle, se penche vers la tasse, essaie d'y boire un peu, il a soif. Mais ses lèvres n'aspirent rien, comme si elles manquaient de cette force élémentaire. Il regarde Clotilde, visage presque collé au sien qui exprime une grande tristesse. « Je suis là, ma si belle, mon aimée, là… » Il lui effleure le front, les tempes, les sourcils, puis suit le dessin de sa bouche chagrine qu'il aimerait tant voir sourire. Il l'embrasse furtivement, elle se mord les lèvres, comme pour réprimer une sourde envie de pleurer. Ses yeux s'embuent, elle soupire, vide sa tasse et retourne dans la cuisine. Il ne peut même pas voler un baiser qui lui rendrait sa belle apparence et sa vigueur de prince très charmant, il n'est décidément pas dans un conte, pas dans un rêve, son infortune est d'une réalité implacable, et d'une absurdité sidérante.

Elle enfile un imperméable, se noue à la diable une écharpe autour du cou, vérifie le contenu de son sac. Aurélien, comprenant qu'elle est sur le point de partir, s'affole, il ne veut pas rester enfermé dans l'appartement dont il n'a plus les clefs. Il court en tous sens, en quête de quelque chose pour se couvrir ; faute de mieux, il s'empare d'un plaid jaune abricot rangé dans le placard du couloir. Il a juste le temps de franchir la porte avant qu'elle ne claque.

Il descend les escaliers avec Clotilde, le plaid en boule sous le bras. Dans le hall, elle échange quelques mots avec la gardienne occupée à rentrer les poubelles, il en profite pour déplier la couverture et l'arranger sur lui à la façon d'une cape dont il remonte un pan sur une épaule. Ça l'amuserait de se voir ainsi vêtu en lama, ou plutôt en moine mendiant, hirsute, mais il est aussi invisible à ses propres yeux qu'à ceux des autres. Pourtant, le tissu est d'une couleur vive, du moins quand il ne l'enveloppe pas. « Midas transformait tout ce qu'il touchait en or, se dit-il en cherchant en vain son reflet, et il a failli en crever. Moi, tout ce que je touche vire à l'invisible. En meurt-on ? »

Aurélien n'est pas habitué à marcher pieds nus dans la rue, il patine sur le trottoir mouillé. Il peine à suivre Clotilde qui avance d'un pas rapide, elle le distance de plus en plus. En voulant se presser, il glisse et s'affale, sa cape se dénoue. Il s'écorche les genoux, il a froid. Le temps qu'il se relève, réajuste son étole et se remette en mouvement, Clotilde a disparu. Il décide d'aller chez lui, oubliant que de son appartement non plus il n'a plus les clefs. Il part en clopinant.

En arrivant à hauteur de son immeuble il croise une voiture de pompiers qui s'en va. Dans le hall, Madame Dubois est en conversation très animée avec quelques autres locataires. Aurélien renifle l'air, inquiet qu'il n'y ait eu un incendie. Mais d'après ce qu'il entend, il s'agirait d'une inondation survenue dans un appartement inoccupé. Emmitouflé dans son plaid orangé, jambes et cuisses nues, genoux blessés et un œil bouffi, il passe incognito au milieu du groupe des palabreurs et monte à son étage.

Qu'il n'ait pas sa clef est sans gravité, la porte de son appartement est ouverte, ou plus exactement défoncée. Il entre, ahuri. Les pièces sont vides, le sol est trempé. Il ne sait pas si on a jeté toutes ses affaires, meubles et objets, ou si elles ont disparu, comme lui-même. Il tâte le vide, les emplacements où se trouvaient les choses; peut-être sont-elles encore là, dans le même état fantomatique que lui. Mais il ne trouve de contact avec rien, il heurte juste ses mains contre les murs. Le journal de Joël ! Lui aussi aura sombré dans la débâcle. Sur le coup, seule cette perte l'afflige.

Dans la cuisine, une énorme crevasse troue le plafond. Une fringale de cornichons saisit Aurélien planté devant l'absence de son frigidaire. Il mime le geste de l'ouvrir, il se penche sur les rayons imaginaires, les inspecte, referme doucement la porte. Sa fringale frustrée sécrète dans sa bouche une acidité qui le transperce jusqu'au fond de l'estomac, comme s'il avait avalé tout le contenu d'une bouteille de vinaigre. Il pense à Irène, le personnage de « La bille de glace »; mais là, c'est une très grande flaque qui s'est déversée. Qui donc pleure ainsi ? Le lieu qui l'abritait, l'esprit familier de son logis déserté, saccagé ? Mais non, une canalisation défaillante, voilà tout. Celle des eaux usées, du tout-à-l'égout ? Il sort de la cuisine, les pieds trempés, quitte son appartement réduit à un local dégoulinant. Le génie du foyer, c'est lui, frappé d'exil, irrémédiablement.

Il repasse devant madame Dubois, ses commères et ses compères qui continuent à commenter ce dégât des eaux, soulagés que cela ne soit pas arrivé chez eux. Une chance, disent-ils, que le logement sinistré ait été vacant.

Il a mal aux genoux, l'un est gonflé, et il a froid. Il serre sa couverture sur sa poitrine. Il marche sur l'extrême bord du trottoir pour éviter les passants qui lui font tous l'effet de bulldozers ; quant aux voitures, il s'en méfie bien plus encore, toutes des bolides.

Ses pas le conduisent vers son abribus habituel. Il s'assied sur le banc. Un jeune homme passe, chaussé de godillots en cuir brun dont l'un s'est délacé. Le passant s'arrête, se tourne vers l'aubette, avise le banc, y balance son pied pour renouer son lacet plus commodément. Le croquenot se plante en plein sur les cuisses d'Aurélien qui pousse un cri, mais l'autre, pesant de tout le poids de son corps penché sur son ouvrage, n'en a cure, il prend son temps. Aurélien se dégage comme il peut, ébranlant l'équilibre de son assaillant, mais celui-ci est souple et il se rétablit d'un bond adroit, puis s'éloigne.

Il monte dans le premier autobus qui fait halte, cherche en quel coin il sera le plus en sécurité. Il est fatigué, l'estomac tordu de faim, le corps tout meurtri. Il se réfugie au fond du véhicule, appuie sa tête contre une vitre, ferme les yeux et s'assoupit. Une giboulée de cris l'expulse de sa torpeur. Une flopée de gamins braillards vient de monter et prend d'assaut les banquettes du fond. Aurélien n'a pas le temps de s'enfuir, il est cerné, envahi, à demi écrabouillé. Il a beau gesticuler, tenter de repousser la horde de ces petits agresseurs, il est vaincu. Un garçon est vautré sur ses cuisses déjà endolories, un autre, qui gigote à ses côtés en s'excitant sur son téléphone portable où il poursuit un jeu ne cesse de lui fourrer des coups de coude. Il a chaud, il a froid, il étouffe, il ne sait plus où il en est, ce qu'il éprouve. Il est bien un clandestin, mais moins en tant que passager qu'en tant que siège, voire, à l'occasion, que punching-ball. Jusqu'où va se décliner sa dégringolade en objet ? Pour l'heure, il lui conviendrait d'être un balai, ou un ventilateur, afin de tenir tout attaquant à distance. Dès que le garçon juché sur lui se lève, il l'imite et se sauve en se faufilant au milieu des voyageurs entassés dans le couloir. Il descend au prochain arrêt. Dans sa fuite, il a perdu son plaid qui a dû tomber sur le plancher du bus.

Il n'est qu'à deux stations de son bureau. Mais il se sent si faible qu'il entre dans la première brasserie qu'il rencontre. Il se glisse derrière le comptoir, lape la mousse d'une chope de bière à l'instant remplie, chaparde quelques chips sur une petite assiette puis va s'échouer sur une chaise. Une serveuse louvoie entre les tables pour les couvrir de nappes blanches et y dresser le couvert en prévision du déjeuner. Aurélien attend qu'elle retourne vers la cuisine pour dérober une des nappes, et il s'éclipse avec son butin. Sitôt dans la rue, il se drape dans le tissu qu'il noue tant bien que mal autour de son cou. Après sa piètre imitation de lama, le voici fagoté en caricature de Gandhi.

Il traverse le hall où il a la joie de voir Gladys. Elle porte un pull en coton vert tilleul largement échancré qui met en valeur sa poitrine. « Aujourd'hui, elle va faire tourner plus d'une tête, et jaser les idiots », pense Aurélien en admirant la grâce léonardesque de son sourire. Il aimerait la saluer, la remercier d'être telle qu'elle est, fraîche et distraite, délicieusement rêveuse, mais il ne peut que lui effleurer une joue, à peine. Elle frémit, soulève les sourcils en se tâtant la joue, puis elle retourne à son habituelle songerie.

Sa place est occupée par une inconnue ; une stagiaire, peut-être, ou une nouvelle employée. Sur le bureau, il ne reste rien de ses affaires personnelles, sa remplaçante a déjà disposé les siennes. Il cherche ses camarades du regard. Thibaut est absent, mais Anaïs et Maxence sont là. Il s'approche de ce dernier, qui est en train de traiter la commande d'un client. Il pose une main sur son épaule. Maxence tourne légèrement la tête, les doigts en suspens au-dessus de son clavier. Il reste ainsi quelques secondes, soupire, et se remet à son travail.

Aurélien fait de même avec Anaïs, et elle aussi se montre troublée par ce frôlement pourtant ténu. Elle se lève et va voir Maxence. « J'ai un coup de blues, lui dit-elle, soudain, massif. — Moi pareil. — On va fumer une clope ? » Ils descendent fumer sur le trottoir, Aurélien les suit. « Tu as raison, remarque Anaïs, cette fille, là, Gladys, elle est jolie en fait, un peu bizarre, mais jolie. Je lui trouve presque un air de Vierge italienne. — Oui, elle a un sourire doux et flou qui aurait enchanté Léonard de Vinci. » Ils parlent peu, ils se contentent de se tenir côte à côte, au pied de l'immeuble, de partager le vague plaisir de fumer pour apaiser la poussée de mélancolie qui vient de les étreindre. Ils écrasent à regret leurs mégots et rentrent dans le hall en silence. Aurélien renonce cette fois à les suivre.

Les rues sont pleines de monde, c'est l'heure du déjeuner et les gens se rendent par petits groupes à leur cantine ou au restaurant, ils discutent entre eux, certains ralentissent devant une vitrine pour examiner tel ou tel article exposé, en vérifier le prix. De-ci de-là, adossés à un mur ou assis sur une marche, parfois à même le sol, des individus font la manche. Qu'il s'agisse d'hommes ou de femmes, et quels que soient leur âge et leur couleur de peau, ils se ressemblent tous, pareillement engrisaillés. Certains semblent si disloqués, dans leur tête et dans leur mise, qu'ils évoquent de grandes marionnettes hors d'usage, flanquées au rebut. Aurélien pense à ces mannequins faits de bois, de plâtre et de chiffons confectionnés par Balthazar pour certains spectacles, et qui, une fois la saison terminée, perdaient leur utilité et étaient entassés dans des caisses ou suspendus à des cintres dans l'attente d'une reconversion qui, la plupart du temps, n'arrivait jamais. On finissait par les démonter pour récupérer les éléments susceptibles d'être recyclés.

Il s'assied à côté d'un de ces fantoches dont les vêtements dégagent une odeur âcre et graisseuse. Aurélien constate une nouvelle fois que plus lui-même s'estompe et échappe aux sens des autres, plus sa propre sensibilité s'aiguise. Il découvre d'ailleurs qu'elle est encore montée d'un cran, il perçoit un bruissement de mots enfoui dans le corps de son voisin. Il tend l'oreille, mais ne capte que le son, le timbre voilé et le rythme monotone de la voix de l'homme qui soliloque à très bas bruit, car celui-ci parle dans une langue étrangère. Mais si le vocabulaire est incompréhensible, la tonalité, les inflexions et le tempo du monologue intérieur sont eux intelligibles, la solitude et la douleur ne relèvent pas du seul cadre d'un lexique et d'une grammaire pour s'exprimer, tout comme la joie, le rire, le désir, la colère. C'est une question de souffle – de *grain*, de cadence, d'amplitude du souffle. Aurélien discerne cela, et son écoute n'est pas seulement auditive, elle passe par tous ses sens, il entend visuellement, olfactivement, tactilement plus encore. Et il devine que s'il léchait la peau des autres, fût-ce du bout de la langue, sa bouche s'emplirait de la saveur de leurs pensées, de leurs rêves, de leurs brins de folie, douce, amère ou venimeuse, de leurs espoirs et de leurs peurs. Le goût du cœur et de l'esprit des autres se fondrait dans sa salive, se mêlerait à sa chair, à son sang. Mais alors, il faudrait être doué d'une force surnaturelle pour ne pas en mourir.

Le goût des autres : jamais il ne l'a ressenti aussi puissamment, passionnément qu'en cet instant, et il pressent qu'il risque d'atteindre la limite du supportable, celle où ce goût est à sursaturation et se condense en poison.

Il repart en errance. Le brouhaha de la rue lui tourne la tête, et d'avoir à se tenir sans cesse sur le qui-vive l'épuise. Il a besoin de repos, de silence. Chez sa mère, il pourra trouver un endroit où se cacher, où survivre, mais le trajet jusque chez elle lui paraît trop long, trop éprouvant pour le moment, il lui faut faire une pause. Il repère un hôtel. Il va bien réussir à se glisser dans une chambre inoccupée.

Il passe devant le bureau de la réception où un jeune homme aux cheveux enduits de gel luisant, sculptés en dos de porc-épic, discute d'un ton suave en anglais avec des clients japonais. Ceux-ci sont accompagnés d'une petite fille de trois ou quatre ans si ravissante qu'Aurélien s'arrête et s'accroupit près d'elle pour mieux l'admirer. Il lui sourit, en pure perte. Mais la petite fait pivoter drôlement sa tête ornée d'un gros nœud rose et se met à rire en battant des mains, sans raison apparente. Ses parents interrompent leur échange avec le réceptionniste qui se penche par-dessus son comptoir, et tous trois regardent avec amusement l'enfant saisie d'une allégresse aussi subite que mélodieuse. Le jeune homme en oublie de jouer à l'employé modèle, lisse et fade comme un fruit poussé en serre et calibré au millimètre, et il lance aux heureux parents la clef de leur chambre d'un geste de jongleur. Le père l'attrape au vol, et, riant à son tour, il se dirige vers l'ascenseur avec sa femme et leur fée miniature.

Ils ont beaucoup de bagages, la cabine est étroite, il n'y a pas de place pour un passager supplémentaire, invisible ou pas. Aurélien attend donc une autre occasion. Il ne voit pas débouler derrière lui un grand chariot rempli de sacs de linge sale que pousse un homme de service. Le chariot le bouscule, il tombe dedans à la renverse, et avant de pouvoir se redresser il reçoit sur la tête et le torse trois autres sacs de draps et de serviettes balancés par deux femmes de chambre.

Il se débat sous sa pyramide de tissus, aussi pathétique qu'un scarabée culbuté sur le dos, pattes et mandibules se trémoussant en vain autour de la sphère de bouse qu'il avait façonnée et qui lui écrase le ventre.

Le chariot a des soubresauts, il s'incline, clinque bruyamment sur une plaque métallique, se remet à l'horizontale et enfin s'immobilise. Un claquement de portières résonne, l'obscurité enveloppe tout. La camionnette d'entreprise de blanchisserie démarre. Aurélien, tel un vaillant bousier, continue à lutter avec les ballots mous et lourds jusqu'à réussir à s'en dégager le haut du corps. Alors, exténué, il s'évanouit.

Il reprend lentement conscience. Il entend bourdonner un chœur de clapotements, des glouglous laids ponctués de plouf et de vlouf sonores. Aurélien n'a aucun repère, ni temporel ni spatial, l'endroit où il se trouve est baigné d'une clarté glauque. Les sensations qui se réveillent en lui sont contradictoires, mêlant celles de froid et de chaud, de faim et de satiété, de harassement et de nervosité, de panique et d'ivresse. La seule sensation précise, ardente, est celle de soif.

Dans le réduit où il se réveille sont entreposés des dizaines de ballots de linge. Il sort de ce cagibi, attiré par la lumière de la pièce attenante. Celle-ci est spacieuse, toute carrelée de blanc, son éclairage est violent et il éblouit Aurélien. D'énormes machines à laver sont alignées le long des murs, la plupart sont en fonctionnement. Certains tambours tournent à vive allure, d'autres au ralenti. Les hublots offrent des visions variées selon que le linge est brassé dans de l'eau savonneuse, de l'eau de rinçage, ou qu'il est soumis au programme d'essorage et de séchage. Dans l'eau de décrassage et de lavage, tout se fait informe et flasque, draps, nappes et torchons s'entortillent, frappent contre le hublot comme de grosses méduses convulsives et furieusement baveuses. Au rinçage, le linge se transforme en brassées d'algues blanches, épaisses, qui ondoient pesamment. Au cours de l'essorage, il s'aplatit, s'allège, pour prendre des allures d'oiseaux lors du séchage. Des albatros de toile, au vol circulaire, emprisonné.

Lui aussi est prisonnier, de partout, de nulle part, de rien. Séquestré dans l'invisible, dans l'oubli. Il pense avec effroi qu'il aurait pu être jeté vif dans l'une de ces machines. Aurait-il enfin repris forme et consistance ? Il en doute. Il n'espère même pas que la mort lui rendra sa visibilité, l'absurdité toucherait alors à son comble, et au cynisme. Mais il n'a aucune envie de mourir. Il s'écarte des machines aux yeux de cyclopes riboulants de folie, et qui le narguent : tant d'eau, et pas une goutte à boire !

Il va se poster près de la porte du local, dans l'attente d'une libération.

Son attente dure longtemps. Les machines s'essoufflent les unes après les autres, elles se taisent et leurs yeux globuleux se font fixes. La porte s'ouvre enfin. Deux employés pénètrent dans la pièce, ils débloquent les machines, en vident le contenu qu'ils chargent dans des bacs. Aurélien en profite pour prélever un drap et s'enrouler dedans. Le voici vêtu d'une toge, cette fois, longue et immaculée, et imprégnée d'une chaleur qui le revigore. Il sourit d'aise.

Mais il lui faut retrousser sa toge à mi-mollet pour suivre au plus vite les employés qui repartent.

Il erre un moment dans des couloirs avant de trouver la sortie. Dehors, la fraîcheur du soir le saisit. Trop tard pour se rendre chez sa mère, elle aura verrouillé sa porte, et la sonnette n'émettra aucun son. Pour annoncer quelle visite, d'ailleurs, tinterait-elle ?

SAMEDI

Au ciel, la nuit est d'un gris de plomb, la lune est enfouie sous des nuages, les étoiles sont éteintes. Dans les rues, elle est criblée de lueurs colorées, mais Aurélien est las de tous ces éclairages, et du remue-ménage de la circulation, des gens qui vont et viennent, des éclats de voix, de musiques. La ville lui apparaît comme un tableau pulvérisé, un opéra foutraque et discordant où il n'a plus sa place, aucun rôle. Il n'existe plus pour personne, nul n'a souci de lui, ni pensée ni mémoire, ou alors si confusément. En lui, la nuit est immense, d'un noir étincelant, et son souci est grand pour ceux qu'il a aimés, qu'il aime toujours, ses pensées sont béantes, et sa mémoire en crue. Les souvenirs déferlent dans son esprit en un flux continu, chacun se présentant avec une extrême précision. Il se demande s'il est encore en vie, en train de mourir, ou déjà mort. Peut-être est-il simultanément dans ces trois états ?

Une idée lui vient en voyant des spectateurs sortir par grappes d'un théâtre. Il profite de ce que les portes sont grandes ouvertes et tous les lustres allumés pour s'introduire dans le bâtiment.

Public et personnel, tout le monde est parti. Le théâtre, plongé dans la pénombre et le silence, est à lui. Aurélien se rend au bar. Il cherche de l'eau fraîche, en boit en quantité. Puis il se sert un verre de vin, la tête lui tourne un peu. Il picore quelques olives, grignote une tranche de gruyère, mais sa faim se rétracte aussitôt, comme si elle attendait un autre aliment, inconnu. Il boit encore une gorgée de vin, et le tournis s'accroît. Il s'en va d'un pas flottant, son drap blanc bâillant autour de ses épaules comme un décolleté de mariée.

Il parcourt les corridors, regarde les photographies de spectacles et les portraits d'acteurs affichés sur les murs. Il se faufile derrière le comptoir du vestiaire, contemple les cintres et les casiers vides.

Il pénètre dans la salle, va zigzaguer entre les sièges du parterre, s'assied sur l'un, sur un autre, multiplie les angles de vue sur la scène déserte.

Il monte à l'étage, le bas de sa toge traîne sur les marches. Il va dans les loges de balcon, caresse le velours des fauteuils. Les loges des acteurs sont, elles, fermées à clef, sauf une. Il entre. Une lampe est restée allumée dans un coin, diffusant une faible clarté. Il hume une odeur de produits de maquillage, de parfum, de tabac et de fleurs pourrissantes. C'est du tabac pour pipe, à saveur de miel, comme celui que fumait Balthazar. Trois bouquets sont plantés dans des vases. L'un, composé de diverses fleurs, est encore emballé dans son papier cristal, un autre, de glaïeuls orangés, croupit dans un fond d'eau malodorante.

« Je pourrais me maquiller, qui sait si… ? » Si quoi ? Aurélien ne finit pas sa phrase. À l'instar de sa faim, son espoir ne se satisfait d'aucune menue consolation ; pas de coupe-faim, pas de trompe-angoisse. Il s'installe néanmoins devant le miroir terne, fouille dans la boîte de maquillage, et choisit une pommade rouge. Du rouge intense, brillant, comme celui qu'il aimait voir sur les lèvres de sa mère, autrefois. Quand il était petit garçon, il s'était exclamé, un jour qu'il l'admirait au sortir de la salle de bain où elle s'était apprêtée pour une soirée : « Maman, tu… tu es… Toi, belle comme un clown ! » Il ne connaissait pas de comparaison plus glorieuse, et sa mère l'avait bien reçue de la sorte, en compliment suprême. Il entend soudain son rire traverser les années, débouler dans la petite pièce ombreuse, l'illuminer.

Le rouge, couleur du nez du clown. De l'auguste. Aurélien se barbouille le nez d'écarlate, il s'en étale deux ronds sur les pommettes, et se dessine aussi une bouche en cœur. Il se farde dans la demi-obscurité, son grimage est assez raté mais qu'importe, personne ne le verra, pas même lui.

Dans la glace, il discerne le reflet d'un placard entrouvert. Ce reflet le traverse, il prend sa place. N'importe quoi dorénavant peut l'éclipser dans l'espace du visible. Il se lève, va se planter devant la penderie où il aperçoit un fouillis de vêtements, d'accessoires. Une déclaration de Tadeusz Kantor, le créateur du Théâtre Cricot 2 que Balthazar et sa mère avaient tant apprécié, lui revient à l'esprit : « L'armoire a joué dans mon théâtre un rôle important. Comme au cirque ou dans un jeu surréaliste, l'armoire est le catalyseur de beaucoup d'affaires humaines, du sort humain, de ses mystères. L'étroitesse ridicule de l'espace à l'intérieur de l'armoire prive facilement l'acteur de sa dignité, de son prestige personnel, de sa volonté, le transforme en une masse générale de matière, presque de vêtements. »

Une masse générale de matière – Aurélien est encore moins que cela. Ou peut-être est-il davantage ? Il est autre, c'est sûr. Il est un ectoplasme tout à fait vivant, pensant, souffrant, une esquisse très singulière de matière insubstantielle ; une buée d'homme, néanmoins toujours soumis aux lois de la nature, dans un dysfonctionnement croissant.

Il quitte la loge, retourne au rez-de-chaussée.

Il monte sur la scène, l'arpente un moment. Le plancher est mal balayé, il y distingue des traces de sable. Écartés vers le fond, il y a un grand fauteuil et une chaise, et aussi un tabouret renversé. Au-dessus de sa tête un trapèze oscille imperceptiblement. « Quelle pièce ont-ils donc jouée ce soir ? » s'interroge Aurélien qui ne s'en était pas avisé jusque-là. Ces éléments de décor laissés en plan lui rappellent une pièce à laquelle Balthazar avait collaboré. Cela remonte à plus d'une vingtaine d'années.

Il ne va pas vérifier sur les affiches, il veut deviner, il en fait un jeu, comme la veille avec les noms des personnages de cartes à jouer. Pallas, Lancelot, Lahire, Rachel, Mistigri et compagnie.

Au prix d'un effort harassant, Aurélien pousse le tabouret jusque dessous le trapèze, il grimpe et se hisse sur la barre, s'y assoit en biais. Son drap a glissé, il pend sous ses jambes. De dehors provient une rumeur confuse, c'est le pouls de la ville, la nuit. Aurélien s'agrippe aux cordes, il peine à impulser du mouvement à sa balançoire. Des mots émergent en hésitant dans sa mémoire, ils s'organisent et, balbutiant, se déroulent en phrases. Un fragment de dialogue. « Comment ça il est mort, le mince comme un fil ? — Comment ça ! — De quoi il est mort ? — De quoi ! Un type mince comme un fil qui mincit tous les jours, un beau jour il n'est plus là. Il est mort d'amaigrissement. D'un virus. D'un virus amaigrissant. Un virus inconnu, probablement. » Voilà des propos qui surgissent à point, Aurélien s'en agite d'émotion sur sa tringle en métal qui se met enfin à remuer. Un virus inconnu, non pas amaigrissant, mais gommant, radiant, voilà ce qu'il a attrapé ! Et qu'il soit inconnu, ce virus plus rare et terrible encore que l'amaigrissant, c'est sûr. Sauf que lui, il refuse d'en mourir… mais de qui donc est cette pièce ? Ah, il se souvient, Botho Strauss, inspiré par Shakespeare, et lâchant des personnages du *Songe d'une nuit d'été* dans un parc berlinois vers la fin du vingtième siècle. C'est que les personnages de théâtre, ça a la peau dure, le verbe vivace, et de la ruse à foison pour s'incarner et se réincarner sans cesse, pour naviguer à fleur du temps, franchir les siècles. Ils ne sont pas seulement en perpétuelle quête d'auteurs, mais aussi de nouveaux acteurs et de metteurs en scène, et bien sûr de public. Que ce dernier vienne à manquer, et c'est la dissolution dans l'oubli pour les personnages. Ils se métamorphosent, ils font peau neuve – parce qu'une peau d'encre, un corps de pure suggestion, c'est à la fois coriace et très souple, fabuleusement malléable et transmuable. Ils se sentent à l'aise en toute époque, dans toutes les langues et n'importe quel costume – du moment que l'on garde leur esprit.

« Finalement, conclut Aurélien, les personnages aussi sont des virus, des virus à haute teneur en folie et en sagacité que l'on chope selon la sensibilité que l'on a. » Et il se dit qu'il en va de même avec les très grands vivants passés en ce monde, quelques maîtres spirituels, des penseurs, des artistes, sans oublier une poignée de législateurs et de conquérants, les traces qu'ils ont semées ont une ample puissance virale, pour le meilleur ou pour le pire. Il aimerait bien savoir par l'esprit de qui, de quel personnage imaginaire ou historique, il a été touché, touché au cœur.

Il se laisse glisser du trapèze, il tombe avec la légèreté d'un boa en plumes. Il s'allonge sur le sol, s'enroule dans sa toge et s'endort. Mais ce n'est plus tout à fait du sommeil qui lui vient désormais, plutôt des plongées au tréfonds de la nuit.

Le ciel est saturé de bleu turquin, uniformément, et ce bleu foncé exalte le gris de perle, presque laiteux, des toits de zinc. Un vent vif court sur la ville, le temps est à l'orage.

Aurélien, enveloppé dans son drap déjà tout froissé et taché, le visage encore contusionné, le nez et les pommettes teints en rouge, les pieds écorchés de marcher nus depuis la veille, se tient titubant sur le paillasson de l'appartement de sa mère. Il lui a fallu des heures pour parvenir jusque-là, tant son corps est évidé de force. Il entend la voix de sa mère et celles de ses hôtes à l'intérieur, ils rient beaucoup, par moments Iota se joint à eux en jappant joyeusement. Seul Joël demeure silencieux.

De tout son poids inexistant il appuie sur la sonnette. Elle finira bien par émettre un son, même fluet, qui avertira l'un d'entre eux. Il attend. De jour en jour, il apprend la patience ; une patience exorbitante. Il n'a pas le choix. Mais il soupçonne qu'il est en train d'atteindre les limites de sa résistance. « Un type mince comme un fil qui mincit tous les jours, un beau jour il n'est plus là. Il est mort d'amaigrissement. » Eh oui, fatal. A fortiori avec un type qui s'amenuise d'heure en heure et devient toujours plus invisible, impalpable.

La porte s'ouvre, Iota sort en sautillant, tout heureux de partir en balade. Monsieur Ruben le tient en laisse.

Sa mère et Lilli sont dans le salon, elles dansent une java sur une chanson de Claude Nougaro. Leur danse n'est pas très dynamique, mais joliment rythmée. Une java pianissimo. Aurélien se laisse choir sur le canapé. Il détecte une odeur de champagne. Une bouteille, à moitié pleine, trône au milieu de la table, entourée de coupes.

Assis près de la fenêtre, à sa place habituelle, Joël regarde évoluer les deux femmes. Un détail surprend Aurélien, il lui semble que la couleur des yeux de Joël a changé, comme si le bleu foncé du ciel avait déteint sur elle. Il se lève, s'approche de lui, l'observe ; le même bleu acier, en effet, que celui du ciel d'orage. Il remarque un autre changement, sur le buffet. Les cadres ronds ne sont plus vides, chacun contient à présent un papillon, un diurne aux ailes soufrées bordées de rouge orangé, et un nocturne aux tons sépia, zébré d'ivoire et parsemé d'ocelles sable cernées de noir.

À la fin de la chanson Lilli et Biedronka vont se rasseoir, essoufflées. « Quand Monsieur Ruben sera de retour, annonce Lilli, nous ferons de la musique avec les verres. C'est si beau, un concert de cristal ! — En attendant, continuons à admirer tes albums. Mais je m'y perds un peu, tu as tant de petits-enfants, et déjà des arrière-petits-enfants ! Je t'envie, j'aurais bien aimé moi aussi avoir des enfants. Au moins un. » Biedronka souligne son regret d'un soupir, puis se penche vers une nouvelle page de photographies. Aurélien ne peut s'empêcher de crier. « Mais enfin, maman, tu m'as eu, moi ! Je suis ton fils ! Je suis là ! Là, entends-tu, maman ! » Aucun son. Biedronka relève cependant les yeux de l'album et promène un regard étonné dans le vide. « Tu as vu celui-là, comme il est rigolo ! s'exclame Lilli en pointant une photo. C'est Louis, il adore faire le clown. Peut-être une vocation ? Il a encore le temps de se perfectionner, il n'a que huit ans. »

Aurélien reste cloué au milieu du salon, les paroles de sa mère lui ont coupé le souffle. Il tremble, il est transi de froid. Il est comme un condamné auquel on vient d'annoncer le refus de la grâce que jusqu'au bout il avait espérée, envers et contre tout. Un condamné sans rémission, ni consolation. Ses dernières forces l'abandonnent. Il bredouille, bras ballants : « Non, maman, pas toi… pas toi aussi, dis ! Maman… » Il se tourne vers Joël, croise son regard éperdu de bleu sombre et pourtant éclatant. « Et toi, tu ne dis rien non plus ? Tu m'ignores, tu t'en fous ? Hé, vieux frère ! » Pour toute réponse, Joël se met à siffloter. Aurélien, de plus en plus stupéfait, croit reconnaître l'air que fredonnait la prostituée dans la rue, l'autre matin. Lilli, toute à la présentation de ses multiples descendants, poursuit ses commentaires. « Tu siffles et tu parles en même temps, maintenant ? s'étonne Biedronka. — Hein ? Mais ce n'est pas moi qui… ça alors, Joël ! — Comment ça, Joël ? Oh, c'est toi qui chantes, mon grand ? C'est d'avoir bu du champagne qui te rend gai ? »

Elle se lève, s'empresse auprès de lui, radieuse. Au passage, elle bouscule Aurélien. Il est si léger qu'il valdingue contre le buffet, s'y cogne, rebondit, roule sur le sol. Le sifflement monte à l'aigu. Iota, qui déboule dans la pièce, sa laisse serpentant derrière lui, pile net, s'accroupit, et, museau dressé, profère un glapissement encore plus aigu. « Qu'est-ce que c'est que ce duo de loups chagrins ? demande Monsieur Ruben, son chapeau encore sur la tête. Lilli, tu te surpasses ! — Vous m'énervez, à la fin, ce n'est pas moi, c'est Joël et le chien. Mais si vous y tenez, je peux me joindre à eux et faire un trio. »

Elle n'a pas plus tôt fini sa phrase que sa ventriloquie se déclenche, non pour siffler, mais pour parler. La voix qui sourd de son ventre est celle d'Aurélien, et elle crie, implose. « Maman, je suis là ! Souviens-toi de moi, je suis ton fils ! Aurélien, ton fils, ton unique, entends-tu ! M'entends-tu ? Maman, maman ! » Bizarrement, Lilli presse ses mains sur sa bouche comme pour étouffer tout son, retenir sa voix, alors que c'est son ventre qui lance des supplications, tandis que Biedronka, qui ne dit rien, serre ses mains contre son abdomen, à demi pliée de douleur. Joël ne siffle plus, il répète « Yiélien, Yiélien… » Monsieur Ruben assiste à ce spectacle en roulant des yeux aussi effarés que ceux de sa femme, il ne sait pas ce qui l'emporte, la bouffonnerie ou le pathétique. « Vas-tu cesser ! ordonne-t-il, plus inquiet que fâché. Lilli, tais-toi, ce n'est pas amusant. En voilà assez de tout ce raffut. Tiens, une mouche. C'est à cause de ce temps orageux. Oh qu'elle est grosse ! Allez, dehors, oust ! »

Il ouvre la fenêtre pour chasser la bestiole, mais la porte d'entrée n'ayant pas été refermée, un violent courant d'air s'engouffre et louvoie dans la pièce. Les rideaux se gonflent, des papiers volent, un des cadres tombe, une porte claque, et Aurélien, soulevé par ce souffle, enlacé par lui, est expulsé hors du salon en même temps que la mouche. Il part se perdre dans le vent, il dérive au-dessus des toits, et bientôt il se dissout dans la pluie de grêle qui s'abat brutalement avec un bruit de grelots. « Un orage au goût de printemps ! » s'exclame Monsieur Ruben en se hâtant de refermer la fenêtre.

Les deux amies, bouleversées par les appels suppliants qui viennent d'être proférés, sont à moitié allongées sur le canapé. Iota est aplati sur le plancher, oreilles plaquées sur les côtés. Joël s'est remis à siffler, mais en sourdine ; un chuintement de plus en plus ténu. « Voyez dans quel état vous vous êtes mises ! Voilà ce que c'est, de jouer les foldingues, à vos âges… hi hi, c'est pas comme moi… » Et sur ces mots, Monsieur Ruben gobe le bouchon de champagne qu'il recrache quelques secondes plus tard. « Pop ! fait-il. Champagne, dernier round ! Biedronka, Lilli, à vos coupes ! Buvons une ultime bulle à la naissance de notre petite Moé, à l'humeur fredonnante de notre oiseau Joël, et à la venue pétaradante du printemps ! »

Ils se tiennent tous les trois autour de Joël, leurs coupes à la main. Celle de Joël, à peine remplie, est posée sur une tablette à ses côtés. Alors qu'ils s'apprêtent à trinquer, le chuintement se fait feulement, toujours discret, fugace. Les coupes se fêlent et se brisent toutes ensemble dans un bruit délicieux de rire d'enfant. « J'ai comme l'impression que ce grand garçon se fout de nous et qu'il a plus d'un tour dans son sac ! » observe Monsieur Ruben d'un ton mi-figue mi-raisin en louchant vers Joël. Lilli éclate de rire, Biedronka se penche vers le grand garçon blagueur et l'embrasse sur le front. « Mais, tu pleures ! dit-elle en s'apercevant que son visage est tremblé de larmes. Voyons, ce n'est pas si grave, juste quelques verres brisés… Bon, ils étaient en cristal. Leur chant d'adieu n'en fut que plus remarquable ! — Oh oui ! » confirme Lilli en applaudissant. Et elle esquisse un pas de tango avec Monsieur Ruben.

Biedronka, debout près de Joël, prend la visionneuse et fait défiler quelques images. Elle s'arrête sur celle d'une main blanche peinte sur champ noir. Elle a l'impression que cette main, paume ouverte, lui caresse le visage du fond du temps. « Tiens, dit-elle à Joël en lui donnant l'appareil, regarde cette image, mon grand, comme elle est douce ! » Et lui, à travers ses larmes, voit la main minuscule luire et frémir à fleur du temps. Biedronka rejoint ses amis et tous trois improvisent une ronde à travers le salon, au son de la pluie qui tintinnabule contre les vitres.

« Un homme tout seul
et seule aussi une mouche
dans la grande salle. »

ISSA.

Du même auteur :

Aux Éditions Albin Michel

MAGNUS, prix Goncourt des lycéens 2005.
L'INAPERÇU, 2008.
LE MONDE SANS VOUS, 2011.
RENDEZ-VOUS NOMADES, 2012.

Aux Éditions Gallimard

LE LIVRE DES NUITS, 1984.
NUIT D'AMBRE, 1986.
JOURS DE COLÈRE, prix Femina 1989.
LA PLEURANTE DES RUES DE PRAGUE, 1991.
L'ENFANT MÉDUSE, 1992.
IMMENSITÉS, prix Louis-Guilloux et prix de la Ville de
    Nantes 1993.
ÉCLATS DE SEL, 1996.
CÉPHALOPHORES, 1997.
TOBIE DES MARAIS, Grand Prix Jean-Giono 1998.

CHANSON DES MAL-AIMANTS, 2002.
LES PERSONNAGES, 2004.

Aux Éditions Gallimard Jeunesse

L'ENCRE DU POULPE, 1999.

Chez d'autres éditeurs

OPÉRA MUET, Maren Sell, 1989.
LES ÉCHOS DU SILENCE, Desclée de Brouwer, 1996.
BOHUSLAV REYNEK À PETRKOV (photos de T. Kluba), Christian Pirot, 1998.
ETTY HILLESUM, Pygmalion, 1999.
GRANDE NUIT DE TOUSSAINT (photos de J.-M. Fauquet), Le temps qu'il fait, 2000.
PATIENCE ET SONGE DE LUMIÈRE : VERMEER, Flohic, 2000.
MOURIR UN PEU, Desclée de Brouwer, 2000.
CRACOVIE À VOL D'OISEAUX, Le Rocher, 2000.
CÉLÉBRATION DE LA PATERNITÉ (iconographie établie par E. Gondinet-Wallstein), Albin Michel, 2001.
COULEURS DE L'INVISIBLE (calligraphies de Rachid Koraïchi), Al Manar, 2002.
SONGES DU TEMPS, Desclée de Brouwer, 2003.
ATELIERS DE LUMIÈRE, Desclée de Brouwer, 2004.
MOURIR UN PEU, Éd. Embrassure, 2010.
QUATRE ACTES DE PRÉSENCE, Desclée de Brouwer, 2011.
CHEMIN DE CROIX, Bayard, 2011.

Le Livre de Poche s'engage pour
l'environnement en réduisant
l'empreinte carbone de ses livres.
Celle de cet exemplaire est de :
200 g éq. CO_2
Rendez-vous sur
www.livredepoche-durable.fr

**PAPIER À BASE DE
FIBRES CERTIFIÉES**

Achevé d'imprimer en juillet 2012 en France par
CPI BRODARD ET TAUPIN
La Flèche (Sarthe)
N° d'impression : 69674
Dépôt légal 1re publication : août 2012
LIBRAIRIE GÉNÉRALE FRANÇAISE
31, rue de Fleurus – 75278 Paris Cedex 06

31/6738/4